Como aprender el Dominó Latino en parejas

Gabriel Antonio Tejeira Arias

Como aprender el Dominó Latino en parejas

ISBN: 1-58736-047-0
LCCN: 2001116965
Publicado por Hats Off Books.
601 East 1st Street, Tucson, Arizona 85705, EEUU
www.hatsoffbooks.com
La portada de este libro y el formato de su contenido fueron diseñados por Summer Mullins.
Impreso en los Estados Unidos de América.

Agradecimientos

A mis padres Gabriel y Albertina; y a mi hermano Javier por la paciencia que han tenido en mi.

A mi padrino y tío Eduardo (Titi) Tejeira por la asesoría que me brindó para escribir esta obra.

A mi novia Marissa por las ideas que me ha dado para poder fomentar este pasatiempo a nivel mundial.

A todos los jugadores de Dominó de la República de Panamá y el mundo entero; y sobretodo a aquellos que se reúnen en el Club Unión de la Ciudad de Panamá.

Indice

Prólogo

Un joven amigo, a quien mucho aprecio, me ha solicitado una encomienda nada fácil: prologar un texto, recientemente escrito por él, en el cual se presenta un conjunto de estrategias y métodos de ese hermoso juego, el Dominó, que tanto gusta a los panameños, igual los que residen en las urbes del país como en las periferias rurales de nuestra pequeña geografía. Lo primero que puedo expresar, muy modestamente, es que este libro viene a llenar un vacío bibliográfico en el país, en España y en la región latinoamericana, sobretodo en los países que tienen costas en el Caribe en los cuales el Dominó genera grandes aficiones y es practicado con excelencia teórica y profesional. De modo pues que el trabajo de Tejeira Arias promete ser, como dicen los anglosajones, un "best-seller" en el medio.

Se ha dicho que la palabra Dominó tiene su génesis en Francia, derivado del hábito de invierno que utilizaba un monje cristiano, el cual era negro por fuera y de interiores blanco. Dominó es, asimismo, un estilo de máscara que presentaba motivos albos y negros en su confección. En todo caso, los juegos de Dominó más antiguos que se conocen datan de cerca del 1120 D.C. y son, sin ninguna duda, una invención china, utilizando algunos elementos lúdicos provenientes de la India.

El Dominó hizo su entrada formal en Europa a principios del Siglo XVIII, cambiando un tanto su fisonomía original china a través de su tránsito europeo, experimentando un uso exitoso muy generalizado, sobretodo en Inglaterra, Escocia, Holanda, Francia, España e Italia. De allí, el Dominó pasó al continente americano, adquiriendo un auge inusitado en las ciudades norteamericanas, sobre todo en San Francisco y Texas en donde se practica con maestría y gran dominio técnico.

En lo personal, soy una persona de pasiones relativamente moderadas. Entre ellas, destaco mi amor a la Universidad, a mi familia y a la Historia Antigua, cátedra que ejerzo desde los inicios de mi carrera académica. Pero también tengo una fuerte pasión por el Juego de Dominó, el cual practico desde mis años juveniles y, hoy por hoy, es una afición que comparto con amigos muy selectos. Algunos opinan que practicamos un Dominó razonablemente bueno y el grupo de jugadores del cual formo parte, tiene merecida fama en el país. De allí el prólogo que me ha solicitado este novel autor que incursiona con una obra que, sin lugar a dudas, le otorgará prestigio y pondrá a Panamá en el mapa de lo que algunos califican como un juego ciencia y que requiere mucha destreza.

Pienso que la afición al Dominó es saludable y ayuda a fortalecer la concentración y a ejercitar, con precisión, las bases de la matemática y la lógica. Es, a todas luces, un juego que exige raciocinio e inteligencia, sumado a la suerte, ingrediente esencial de todo juego de mesa.

En cuanto a Panamá, la afición al Dominó rompe las barreras sociales, económicas o étnicas. En nuestro país se practica excelente Dominó, desde el Club Unión (centro social de la Ciudad de Panamá) hasta las sesiones maestras que se escenifican en los "parques de los aburridos" (o plazas populares) de la ciudad y el campo. Esto garantiza, de seguro, el éxito que tendrá esta singular obra que signa, a buena hora, un joven que apenas frisa los treinta años y que se perfila como un autor exitoso: Gabriel Antonio Tejeira Arias. Lo felicito por su trabajo y su empeño que, a no dudarlo, abre nuevas perspectivas a un hermoso y útil pasatiempo.

Gustavo García de Paredes[1]
Ciudad de Panamá, 1998

---

1 El autor del Prólogo fue Rector de la Universidad de Panamá .

Introducción

Desde muy temprana edad sentí gran curiosidad por los juegos de habilidad mental. Así, durante mi infancia, practiqué dos juegos de cartas con Delia Morales de Tejeira (mi difunta abuela paterna): Canasta y Pokino, el cual es una variación del "Bingo". También jugué Ajedrez con Eric Chen (un primo lejano) y sentí pasión por los juegos tradicionales del mercado (Risk, Monopolio, Perchis, Backgammon, Clue, Mil Millas, etc.). Sin embargo, no fue sino hasta los 11 ó 12 años cuando supe lo que era un "Dominó".

El juego de Dominó es un pasatiempo que presenta muchas variantes o modalidades y la más emocionante es la practicada en los países Latinoamericanos y España, la cual se juega entre 4 jugadores divididos en 2 parejas o equipos. Por ende, defino la citada modalidad como Dominó Latino en Parejas y mi primera experiencia fue ver cómo mi padre lo practicaba con un grupo selecto de amigos durante las tardes Sabatinas. Sentí un profundo interés por el mismo pero, al ser yo demasiado joven entonces, mi progenitor siempre me corría del salón cuando empezaba a jugarlo con sus camaradas.

Fue en mis últimos años como estudiante de Ingeniería Industrial que pude jugar Dominó, de una manera periódica, con un grupo de amigos de la Universidad. Sin embargo, lo practicábamos de una manera individual, lo cual estaba totalmente basado en la suerte.

Hace aproximadamente 6 años comencé a participar en los torneos del Club Unión de la Ciudad de Panamá, organizados por el Sr.

Ricardo Enrique Icaza (q.e.p.d.) y pude aprender la modalidad del Dominó Latino en parejas al seguir muy de cerca las jugadas de los siguientes jugadores: 1) El Sr. Luis E. Guizado (Campeón Nacional y Banquero jubilado); 2) El Sr. Raúl de Mena (Banquero); 3) El Lic. Carlos Stagg (Campeón Nacional y Abogado); y 4) El Dr. Gustavo García de Paredes (Ex Rector de la Universidad de Panamá y profesor de historia).

Este libro es el producto de un largo proceso analítico en el cual las jugadas de los mencionados jugadores han sido clasificadas y diferenciadas (a manera de situaciones), en forma lógica y progresiva, con la finalidad de poder esparcir el Dominó Latino en Parejas a mayores ámbitos debido a que considero que es quizás el juego más práctico y ameno que se halla jamás inventado[1].

El Dominó Latino en Parejas puede ser definido como un juego-pasatiempo de habilidad mental, en el cual influye la suerte y se produce una comunicación o transmisión de información basada en las fichas jugadas por los jugadores. Además, dicha modalidad igualmente involucra una serie de aptitudes innatas en el ser humano las cuales hacen que el mismo sea enormemente atractivo; a saber:

•La retentiva, concentración y aritmética básica del jugador.

•La lógica, imaginación y creatividad del jugador para elaborar jugadas en base a una situación la cual puede ser considerada como un acertijo.

Por otra parte, también se incluye la intuición del jugador. La intuición puede ser definida como el presentimiento que tiene el jugador con respecto a los resultados o consecuencias de una determinada jugada.

Un jugador muy intuitivo muchas veces no realizará la jugada que, entre comillas, pareciera ser la apropiada pero tendrá éxito debido a que el factor suerte ocasionará que la misma luzca especta-

1 El Dominó Latino reúne todas las aptitudes utilizadas en el Ajedrez pero es un juego mucho más fácil de asimilar y mucho más corto en su duración. Además es un juego abierto y subjetivo en el cual no hay grados absolutos o parámetros fijos.

cular. Además, la intuición podrá ayudar al jugador a jugar correctamente en el caso de que desconozca el posible resultado de sus jugadas.

Estas aptitudes producirán en el jugador un alto grado de satisfacción y autoconfianza si logra ejecutar la jugada correcta. Por lo tanto el jugador:

•Disfrutará del juego.

•Tendrá una mayor confianza en sus jugadas.

El mayor placer que puede producir el Dominó Latino en Parejas es cuando el jugador controla el resultado de cada jugada de forma que las fichas son colocadas de acuerdo a su estimación e independientemente de que se gane o pierda el juego. Por lo tanto, puede decirse que el jugador resuelve el acertijo presentado en el juego.

También es importante mencionar que el Dominó Latino en Parejas es un juego en el cuál se deben tomar en cuenta las probabilidades o porcentajes. La ley de la probabilidad puede ser aplicada de dos maneras:

•En muchos casos el jugador tendrá un dilema con respecto a cual ficha jugar debido a que las posibles jugadas pueden producir, en efecto, el mismo resultado. El jugador tendrá que jugar la ficha cuyo porcentaje de éxito sea mayor con respecto al evento esperado.

•Habrán jugadas que serán como una "adivinanza" pero en las mismas el jugador también tendrá que medir las probabilidades y jugar de la manera en la cual el porcentaje de éxito sea mayor con respecto a la ocurrencia de un evento favorable.

Además se destaca la pena o el temor que pueden tener los jugadores inexpertos en jugar frente a los "Maestros" del juego. Lamentablemente, esta es la única forma en la que se podrá aprender a jugar (el jugador pasará muchos ratos amargos). Este libro puede romper esta brecha entre los aficionados al juego y hacer que el Dominó sea más competitivo y, desde luego, atractivo.

Por otra parte, el Dominó Latino en Parejas es un juego oportunista en el cual la pareja debe aprovechar las situaciones favorables que se le presenten debido a que las mismas quizás sólo ocurrirán una vez en la partida. Además hay un refrán que dice: "El Dominó castiga", lo cual significa que una oportunidad desaprovechada o un error grave en un juego pueden ser determinantes en el resultado de la partida.

Gabriel A. Tejeira Arias
Ciudad de Panamá, 2001

Síntesis de la Obra

Este libro resume, de una forma progresiva (de menos a más), todas las Estrategias que pueden ser aplicadas en el Dominó Latino en Parejas, en el cual participan 4 jugadores dividos en 2 equipos. Además presenta innumerables ejemplos en los cuales los conceptos del juego son asimilados gradualmente. Sin embargo, hemos excluido las jugadas más raras y difíciles para poder ofrecer un producto más fácil de entender y leer. No obstante, planeamos explicar tales jugadas en otro libro en el cual se incluirán una gran cantidad de juegos simulados.

El Dominó Latino en Parejas no es un juego difícil, el problema es que cada jugador tiene su forma particular de jugarlo. Por lo tanto, unas jugadas pueden ser buenas para un jugador y malas para otro; o viceversa.

Explicar el Dominó Latino en Parejas no es fácil, por lo cual este libro desarrolla los dos estilos alternativos del juego (agresivo y conservador); y los mismos son analizados para cada situación particular de jugada. Por otra parte todas las situaciones de jugada descritas están bien clasificadas y definidas con el fin de que el jugador pueda diferenciarlas.

Para cada situación de jugada expuesta se propone la ficha que, según nuestra opinión, se debe jugar (estimamos que es la mejor opción de acuerdo a la situación presentada y siempre habrá una segunda opción de jugada). Además la opción propuesta podrá ser:

•**Agresiva**. En la misma se juega un número **bajo** y debe ser empleada / aplicada (preferiblemente) si la pareja no está muy cerca de la cantidad límite de puntos acordada y su tipo de juego (o la situación) lo permite. Si la segunda opción es la agresiva, la pareja debe ir por debajo en la puntuación[1].

•**Conservadora**. En la misma se juega un número **alto** y debe ser empleada / aplicada (preferiblemente) si la pareja no está muy cerca de la cantidad límite de puntos acordada y su tipo de juego (o la situación) no permite una jugada agresiva. Si la segunda opción es la conservadora, la pareja debe estar muy cerca de la cantidad límite de puntos acordada[2].

Finalmente es importante señalar los siguientes puntos:

•Habrá casos en los cuales se tendrán más de dos posibles opciones de jugada.

•La mayoría de las situaciones expuestas tienen una aceptable probabilidad de ocurrencia en el juego.

•Habrá situaciones de jugada que, obviamente, no podrán ser explicadas (puede decirse son más o menos una adivinanza). Sin embargo, las mismas estarán influenciadas tanto por la intuición del jugador como por la ley de las probabilidades.

•Habrá situaciones en las cuales se destacará que una opción de jugada es, en efecto, **mala**. Sin embargo (como podrá apreciarse al jugar), no hay grados absolutos en las jugadas del Dominó Latino en Parejas debido al factor suerte. Por lo tanto, la jugada puede resultar, a pesar de que no sea la correcta; y puede fallar, a pesar de que sea la correcta.

•Habrán casos en los cuales se mencionará / analizará el riesgo de una jugada (la opción podrá ser segura o arriesgada). Por otra

---

1 En algunos casos ambas opciones de jugadas serán agresivas, pero una será más agresiva que la otra.
2 En algunos casos ambas opciones de jugadas serán conservadoras, pero una será menos conservadora que la otra.

parte, las jugadas agresivas son, en la mayoría de los casos, arriesgadas; mientras que las conservadoras son, generalmente, seguras. Además cuanto más arriesgada (muy o demasiado) sea la jugada, mayor debe ser la diferencia entre la puntuaciones las parejas.

•Este libro cubre ambos estilos del juego (agresivo y conservador). Además el jugador podrá aplicar la opción que considere más oportuna para una determinada situación de jugada (escogerá su propia forma alternativa de jugar).

•Habrán casos remotos en los cuales la situación de jugada será tan difícil (ninguna de las opciones es propuesta) que la misma quedará al criterio y estilo de juego del jugador.

•Finalidad de aclarar la jugada.

•Tanto la práctica como el claro entendimiento de las Estrategias descritas pueden ocasionar que un jugador mediocre o inexperto llegue a dominar este juego y convertirse en un "as".

•Los jugadores buenos también se equivocan (nadie es perfecto). Sin embargo, los expertos erran en un menor porcentaje. Además la mayoría de los victorias en la modalidad del Dominó Latino en Parejas son consecuencia de los errores de la Oposición.

•Si los jugadores involucrados han estado jugando por mucho tiempo, es más probable que algunas jugadas estén influenciadas por el conocimiento que tenga un jugador con respecto a la forma acostumbrada de jugar de los otros. Por lo tanto, se recomienda que, en algunos casos, el jugador varíe su forma alternativa de jugar.

•Es aconsejable que el jugador mantenga una aptitud positiva, la compostura y la concentración a lo largo del juego debido a que, en algunos casos:

•No podrá jugar la mayor parte de sus fichas.

•Tendrá rachas de mala suerte.

•Siempre existirá la posibilidad de que su siguiente jugada sea decisiva.

•Su compañero hará una mala jugada o se equivocará.

•El Dominó Latino puede desgastar mentalmente a la mayoría de los jugadores. Por lo tanto, no es aconsejable jugarlo por más de 6 horas seguidas. Sin embargo, habrá jugadores excepcionales cuya mente nunca se les cansará.

•El Dominó Latino en Parejas puede ser explicado por etapas (jugadas iniciales, intermedias y finales). Además el libro está dividido de la siguiente manera:

•Capítulo 1. Se describen las generalidades del Dominó Latino en Parejas: Reglas, Conceptos, Jugadas Básicas y Estrategias.

•Capítulo 2. La Salida (inicial). Las 3 posibles situaciones de salida son analizadas.

•Capítulo 3. El Primer Turno del Segunda Mano (inicial): Las 2 posibles situaciones de jugada son analizadas.

•Capítulo 4. El Primer Turno del Tercera Mano (inicial): Las 3 posibles situaciones de jugada son analizadas.

•Capítulo 5. El Primer Turno del Cuarta Mano (inicial): Las 4 situaciones de jugada más comunes, y las jugadas para salidas mixtas son analizadas.

•Capítulo 6. Las Jugadas Intermedias, a saber:

•Las jugadas básicas de todos los jugadores.

•Las jugadas básicas de jugador que pareja.

•Las jugadas de fichas identificadas, localizadas o ubicadas.

•Las jugadas para buscar (o evitar) las Entradas.

•Capítulo 7. Las Jugadas Finales, a saber:

Capítulo 1: Principios Generales

Generalidades del Dominó

El Dominó utiliza el conjunto del doble seis o 28 fichas, las cuales abarcan 7 series de números comprendidos entre el 0 y el 6. Cada ficha contiene a 2 de los mencionados números, su valor en puntos se obtiene al sumarlos y el valor total de las 28 fichas es igual a 168 puntos. Las fichas cuyos 2 números son iguales se denominan dobles y las restantes, cuyos 2 números son diferentes, las llamaremos mixtas.

De las 28 fichas referidas, 7 son dobles; a saber: el doble "cero", la (0;0) (o doble blanco), el doble "uno", la (1;1) (o doble as), el doble "dos", la (2;2) (o doble duque), el doble "tres", la (3;3) (o doble tripa), el doble "cuatro", la (4;4) (o doble cuadra), el doble "cinco", la (5;5) (o doble quina) y el doble "seis", la (6;6) (o doble sena). Concluimos, entonces, que las fichas mixtas tienen que ser 21.

Las series de números pueden ser clasificadas en:

•Altas: El "seis", el "cinco" y el "cuatro".

•Bajas: El "tres", el "dos", el "uno" y el "cero".

Seguidamente se muestra una tabla la cual detalla los valores en puntos y la clasificación de cada una de las 28 fichas.

Ficha	Cantidad	Puntos	Clasificación	Total
(6;6)	1	12	Alta	12
(6;5)	1	11	Alta	11
(6;4),(5;5)	2	10	Alta	20
(6;3),(5;4)	2	9	Alta	18
(6;2),(5;3),(4;4)	3	8	Alta	24
(6;1),(5;2),(4;3)	3	7	Alta	21
(6;0),(5;1),(4;2),(3;3)	4	6	Media	24
(5;0),(4;1),(3;2)	3	5	Baja	15
(4;0),(3;1),(2;2)	3	4	Baja	12
(3;0),(2;1)	2	3	Baja	6
(2;0),(1;1)	2	2	Baja	4
(1;0)	1	1	Baja	1
(0;0)	1	0	Baja	0
Total	28			168

Una partida de Dominó comprende un número variable de sets (o juegos). Al inicio de cada set los jugadores toman 7 fichas al azar y las ordenan en un "atril"[1], de acuerdo a su criterio. A continuación, un jugador coloca la primera ficha y subsecuentemente cada uno de los otros 3 jugadores va colocando fichas (siguiendo las reglas del juego y el sentido contrario de las manecillas del reloj).

El set finalizará cuando un jugador se quede sin fichas y su pareja será la triunfadora. A la mencionada pareja se de deben acreditar la sumatoria de los puntos de las fichas no jugadas por el dúo derrotado. Después se seguirán jugando más y más sets hasta que

1 Artefacto de metal o de madera donde cada jugador coloca sus fichas.

una de las parejas acumule 75 o más puntos[2]. Esta pareja será la triunfadora de la partida.

Desarrollo de un set del Dominó.

Reglas y Conceptos.

A continuación se presentan 13 Reglas y Conceptos que deben seguirse en el desarrollo de cada set de Dominó:

1. Los 4 conjuntos de 7 fichas se denominan como los "Juegos" de cada jugador.

2. Cada jugador debe evitar que los otros, incluyendo a su compañero, puedan ver sus fichas.

3. Los Juegos pueden ser clasificados en 5 tipos:

•**Juego sin Fallo**: Si todos los números (0, 1, 2, 3, 4, 5 y 6) se encuentran en el Juego.

Juego: (3;2),(3;4),(2;5),(5;1),(1;6),(6;6),(0;6).

•**Juego con Fallo**: Si, por lo menos, un número no se encuentra dentro del Juego. Seguidamente se presentan 2 ejemplos.

Juego #1: (0;0),(0;2),(0;4),(4;4),(4:3),(6;3),(6;1).
El número fallo es el "cinco".
Juego #2: (5;5),(5;3),(5;4),(5;0),(1;4),(1;1),(1;0).
Los números fallos son el "dos" y el "tres".

•**Juego Bajo**: Si hay, por lo menos, una ficha baja más en el Juego (Ej. 4 bajas y 3 altas) o está fallo a un número alto. Su esti-

2 Las partidas también pueden ser jugadas hasta 60 ó 200 puntos. Además, en algunos países (ej. España) las partidas también son jugadas hasta 40 tantos, de forma que 1 tanto equivale a 10 puntos.

mación depende de la apreciación del jugador. A continuación se presentan 2 ejemplos.

Juego #1: (6;6),(6;3),(3;3),(2;3),(2;1),(2;0),(1;0).
Las fichas bajas (4) son: (2;3), (2;1), (2;0) y (1;0); y las fichas altas (2) son: (6;6) y (6;3). Además está fallo al "cuatro" y al "cinco" (altos).
Juego #2: (5;5),(5;3),(6;3),(0;4),(0;0),(0;1),(1;1).
Las fichas bajas (4) son: (0;4), (0;0), (0;1) y (1;1); y las fichas altas (3) are: (5;5), (5;3) y (6;3).

•**Juego Medio**: Si no hay predominio por parte de una clase de ficha (alta o baja) en el juego (ej. 3 altas y 3 bajas).

•**Juego Alto**: Si hay, por lo menos, una ficha alta más en el juego (ej. 4 altas y 3 bajas) o está fallo a un número bajo. Su estimación depende de la apreciación del jugador. A continuación se presentan 2 ejemplos.

Juego #1: (5;5),(5;4),(6;3),(6;0),(4;2),(2;2),(3;2).
Las fichas altas (3) son: (5;5), (5;4) y (6;3); y las fichas bajas (2) son: (2;2) y (3;2). Además está fallo al "uno" (bajo).
Juego #2: (6;4),(6;3),(6;2),(5;4),(5;3),(5;1),(4;0).
Las fichas altas (5) son: (6;4), (6;3), (6;2), (5;4) y (5;3); y la ficha baja (1) es (4;0).

4. El Salidor, el cual es llamado "A", es el jugador que coloca la primera ficha y la puede escoger libremente. Seguidamente se describen 3 Lineamientos relacionados al inicio de una partida:

•La norma tradicional es comenzar la partida (el primer set) con la (6;6). Además, esta Salida es conocida como "forzada" u "obligatoria".

•Si ambas parejas lo acuerdan, el jugador que posea la doble sena puede optar por comenzar la partida con cualquier otra ficha si lo estima conveniente.

•El inicio de cada partida también puede ser sorteado entre los 4 jugadores. El Salidor será el jugador que escoja la ficha mayor o la ficha con el mayor número en el caso de un empate (estamos a favor de esta medida).

5. Un jugador, generalmente, debe tener varias opciones con respecto a los 2 números que aparezcan, en ese momento, en los extremos abiertos de la cadena de fichas jugadas (Ver las Definiciones #14 y 15) debido a que probablemente posea:

•Varias fichas (dobles o mixtas) que contengan números que coinciden con los de los extremos, pero no la ficha mixta que contiene a ambos números.

•La ficha mixta que contiene los 2 números de los extremos. Si los extremos son el "cinco" y el "tres", la ficha mixta será la (5;3). De esta situación se originan las jugadas del "**Cuadre**" y del "**Cierre**" (Ver las Definiciones #21 y 23).

Es importante señalar que si un determinado jugador llega a tener sólo una opción de jugada, la cual no debe ser la del Cierre o la del Cuadre, se dice que está jugando la ficha de manera "forzada".

---

6. Si un jugador no posee en su juego ninguno de los números encontrados en los extremos abiertos, el mismo **pasará**. Por lo tanto, el turno le corresponderá al siguiente jugador[3]

7. Se dice que el Salidor es la "Mano" o lleva el control del set. Esta situación sólo perdurará hasta que pase y la "Mano" será el jugador que posea la menor cantidad de fichas que le toque jugar después y así sucesivamente. Seguidamente se describen 2 Lineamientos relacionados con este Concepto:

•Siempre habrá un miembro que será la "Mano" relativa de la pareja que no tiene el control del set.

•Si el jugador que es la "Mano" relativa de la pareja que no tiene el control del set llegase a pasar, podrá decirse que habrá una "Doble Mano" en la pareja que tiene el control.

---

3 Se recomienda que cuando un jugador pase, golpee (moderadamente) con el puño cerrado sobre la mesa una vez.

8. Si una ficha jugada por error, no contiene ninguno de los números encontrados en los extremos, se estará cometiendo la falta localmente conocida como "**camarón**". Cualquiera, de darse cuenta, deberá hacer alusión a la ocurrencia de esta falta.

9. Ningún jugador puede pasar si tiene, al menos, una opción de jugada. En el caso de hacerlo estará, como localmente se dice, "**pasando agachado**". Obviamente que poder determinar si un jugador "pasó agachado" será más difícil que en la falta denominada "camarón".

Es importante destacar que si la partida es amistosa y las aludidas anomalías son apreciadas inmediatamente, el set deberá continuarse luego de haber sido corregida la falta. En el caso contrario y si la anomalía llegase a afectar el posible resultado del set, el mismo debe reiniciarse si la pareja afectada así lo decide. Si las citadas faltas son cometidas en torneos serios, la pareja infractora será penalizada (ver Anexo #2).

---

10. Si un jugador amaga con jugar una ficha, la cual contiene al menos un número que coincida con los encontrados en los extremos y es vista por un Oponente, la ficha debe ser jugada de la manera correcta si el jugador afectado así lo decide.

11. La pareja ganadora de cada set debe ser acreditada mediante la sumatoria de los puntos de las fichas no jugadas de la pareja derrotada[4].

12. Si ningún jugador pudiese jugar, esta situación será resultado de la jugada de "Cierre". La pareja que posea la menor sumatoria en puntos de los grupos de fichas no jugadas será la ganadora del set y, obviamente, se le debe acreditar la sumatoria de los puntos del grupo de fichas no jugadas por la oposición[5].

4 Si la partida es jugada hasta 200 puntos, también se incluirán las fichas no jugadas del otro jugador de la pareja ganadora.
5 Si la partida es jugada hasta 200 puntos, se incluirán todas las fichas no jugadas.

Si ambos grupos de fichas (no jugadas) tienen igual sumatoria, el set se declarará en un empate[6].

13. Cada jugador, en su respectivo turno, debe hacer contacto únicamente con la ficha que según su criterio es la correcta para la respectiva jugada. Si el aludido jugador tocase más de una ficha estará, como localmente se dice "**serruchando**".

Este defecto al igual que cualquier comentario, gesto o seña emitido por los jugadores, no deben ser permitidos con la finalidad de lograr que el set se desarrolle de la forma más científica e imparcial posible[7].

Anotación de la Puntuación.

1. Se recomienda que el jugador que escriba más claro sea el responsable de llevar la anotación de la puntuación de la partida.

2. El anotador debe acreditar, al final de cada set, la puntuación obtenida por la pareja ganadora. Si se produce un empate, como consecuencia de un Cierre, se debe anotar un "cero" en la columna de la pareja que cerró el set con el objetivo de aclarar el hecho de que el mismo fue jugado.

Otros Lineamientos.

1. La "Mano" de las Salidas debe ser mantenida (inclusive si se produce un empate). Dicho en otras palabras, el segundo set debe ser iniciado por el jugador ubicado a la derecha del Salidor y así sucesivamente durante el desarrollo de toda la partida debido a que:

6 Cada grupo de fichas (no jugadas) siempre deben tener totales similares (pares o nones).

7 Si la partida es amistosa habrá, obviamente, mayor flexibilidad.

•Algunos jugadores acostumbran darle la Mano a la pareja ganadora del set anterior (no estamos de acuerdo con esta medida).

•Es injusto, para con la pareja derrotada, no brindarle la oportunidad de iniciar el siguiente set.

2. Si llegase a existir una controversia por parte de los jugadores con respecto a cual jugador le tocase iniciar un determinado set, el anotador lo podrá determinar contando los sets que se hayan jugado y deduciendo, por lógica, al Salidor. Esto quiere decir que si llega a jugarse un quinto set, el mismo debe ser iniciado por el jugador que comenzó el primer set.

3. Se acostumbra, en nuestro medio, a que el Salidor sea el jugador que revuelva las 28 fichas al inicio de cada set. Además, es preferible que espere a que los otros jugadores hayan escogido sus fichas antes de que pueda tomar las suyas.

4. Si el Salidor inicia el set con una ficha doble, es preferible que la coloque de forma paralela a su persona (o atril).

5. Si el Salidor inicia el set con una ficha mixta, es preferible que la coloque de manera que el mayor número lo señale (o señale a su atril).

Definiciones.

Seguidamente se definen una serie de Términos y Jugadas del Dominó (la mayoría son términos locales).

1. Número Fuerte: Es aquel número que se encuentra en 3 o más fichas diferentes en el juego. A continuación se presentan 2 ejemplos que contienen el mismo número fuerte (el "**dos**").

Juego #1: (**2**;**2**),(4;**2**),(5;**2**),(5;3),(1;3),(1;1),(6;0).

Juego #2: (0;**2**),(1;**2**),(3;**2**),(3;3),(6;0),(6;4),(1;4).

Es importante aclarar que en un juego puede haber 2 clases de números fuertes:

•**A. (Primer) Número Fuerte**: Es el número que existe en mayor cantidad en el juego. A continuación se presentan 2 ejemplos de juegos que incluyen a más de un número fuerte. Además el número fuerte es puesto en formato **negro**.

Juego #1: (**5**;4),(**5**;3),(**5**;0),(**5**;**1**),(**1**;**1**),(**1**;4),(**1**;6).

Los números fuertes son el "**cinco**" y el "**uno**".

Juego #2: (**6**;**6**),(**6**;1),(**6**;**0**),(**4**;**4**),(**4**;3),(**4**;**0**),(2;**0**).

Los números fuertes son el "**seis**", el "**cuatro**" y el "**cero**".

•**B. Segundo Número Fuerte**: Es aquel que existe en una segunda cantidad, la cual es igual a 3, debido a que habrá un número fuerte en cantidad de 4 ó 5. Seguidamente se presentan 2 ejemplos de juegos que incluyen a un segundo número fuerte. Además el segundo número fuerte es puesto en formato ***negro itálico***.

Juego #1: (6;**3**),(5;**3**),(**3**;**3**),(***4***;**3**),(***4***;2),(***4***;1),(2;0).

El número fuerte es el "**tres**" y el segundo fuerte es el "***cuatro***".

Juego #2: (**5**;**5**),(**5**;4),(**5**;***2***),(**5**;***1***),(***2***;***1***),(***2***;***2***),(***1***;0).

El número fuerte es el "**cinco**" y los segundos fuertes son el "***uno***" y el "***dos***".

2. Manopla: Cuando se tiene, dentro del juego, en número fuerte en cantidad de 5 ó más. Además, la Manopla es un juego muy poderoso y el jugador que la tenga debe tener una gran oportunidad de ganar el set. La Manopla puede ser clasificada en:

•**Manopla 5**: El número fuerte está en cantidad de 5 (incluye a 5 fichas mixtas).

Juego: (2;2),(2;**6**),(3;**6**),(4;**6**),(1;**6**),(5;**6**),(5;0).

El "**seis**" es el número de la Manopla.

•**Manopla 5D**: El número fuerte está en cantidad de 5 de forma que incluye a 4 fichas mixtas y a la respectiva ficha doble.

Juego: (**0**;5),(**0**;4),(**0**;2),(**0**;**0**),(**0**;3),(4;3),(6;3).

El "**cero**" es el número de la Manopla.

•**Manopla 6**: El juego contiene todas las fichas mixtas (6) del número fuerte.

Juego: (0;**2**),(1;**2**),(4;**2**),(5;**2**),(6;**2**),(3;**2**),(3;5).

El "**dos**" es el número de la Manopla.

Manopla 6D: El número fuerte está en cantidad de 6 de forma que incluye a 5 fichas mixtas y a la respectiva ficha doble.

Juego: (**4**;0),(**4**;1),(**4**;2),(**4**;**4**),(**4**;5),(**4**;6),(3;1).

El "**cuatro**" es el número de la Manopla.

•**Manopla 7**: El juego contiene todas las fichas (7) del número fuerte.

3. Número Acompañado o Apoyado: Es el que se encuentra en cantidad de 2 en el juego. La ficha que lo acompaña puede ser mixta o doble.

Juego: (4;4),(4;3),(2;3),(0;1),(5;1),(5;6),(6;6).

Los números acompañados por una ficha doble son "cuatro" y el "seis".

Los números acompañados por una ficha mixta son el "uno", el "tres" y el "cinco".

4. Número no Acompañado o Huérfano: Es un número contenido en una ficha mixta el cual no está presente en ninguna otra ficha del juego (está en cantidad de 1). En un determinado juego pueden haber varias fichas mixtas con números no acompañados.

Juego: (1;6),(1;2),(1;4),(3;5),(3;0),(3;4),(3;6).

Los números huérfanos son el "dos", el "cinco" y el "cero".

5. Ficha no Acompañada o Huérfana: Es la ficha que contiene números no acompañados (los mismos no coinciden con ninguno de los otros números encontrados en el juego). Además, la ficha no acompañada será puesta en formato *itálico*:

Si un jugador juega una ficha no acompañada, queda:

•Fallo a 2 números si es mixta. La ficha mixta no acompañada es la *(3;4)*.

Juego: (1;1),(1;6),(1;5),(0;5),(2;5),(2;6),*(3;4)*.

•Fallo a un número si es doble. La ficha mixta es la *(2;2)*.

Juego: (4;3),(4;5),(4;6),(1;6),(0;6),(3;5),*(2;2)*.

Es importante destacar que pueden haber hasta 2 fichas mixtas no acompañadas en un juego. Las *(2;3)* y *(5;6)* son fichas no acompañadas.

Juego: *(2;3)*,*(5;6)*,(0;0),(0;1),(1;1),(1;4),(4;4).

6. Salida Doble: Cuando el Salidor juega una ficha doble.

7. Salida a Caballo o en Falso: Cuando el Salidor juega una ficha doble no acompañada[8].

8. Salida Mixta: Cuando el Salidor juega una ficha mixta.

9. Ficha Doble Mal Acompañada: Está contenida en un número en cantidad de 2 y acompañada por una ficha mixta que contiene un número no acompañado.

10. Ficha Doble Bien Acompañada: Es la que no está acompañada por una ficha mixta que contiene un número no acompañado.

Juego: (5;5),(5;2),(0;1),(**6**;1),(**6**;0),(**6**;3),(3;3).

La (3;3) está bien acompañada por la (3;6) y el "**seis**" es un número fuerte.

La (5;5) está mal acompañada por la (5;2) y el "dos" es un número huérfano[9].

11. Segunda Mano: Es el jugador que ie toca jugar después del Salidor ("A") y se ahora en adelante se llama "B".

8 No es recomendable aplicarla (es mala Salida).

9 Algunos jugadores prefieren evitar salir con una ficha doble mal acompañada (es arriesgada).

12. Tercera Mano: Es el compañero de "A". Le toca jugar después de "B" y de ahora en adelante se llama "C".

13. Cuarta Mano: Es el compañero de "B". Le toca jugar después de "C" y de ahora en adelante se llama "D".

14. Cadena de Fichas Jugadas: Son todas las fichas jugadas por los 4 jugadores (A, B, C y D) en un determinado momento del set.

15. Extremos (Abiertos): Son los 2 extremos (o números) de las cadenas de fichas jugadas en los cuales aparecen, para cada jugada, los números (abiertos) que pueden ser jugados por un determinado jugador en su respectivo turno.

16. Mandar un Número: Es cuando una ficha mixta es jugada en un extremo de forma que un determinado número aparecerá abierto (o podrá ser jugado) en ese mismo extremo. Además, cuando un número es jugado por primera vez, se dice que el mismo es marcado (o es "fresco").

17. Tapar (Pegarle o Matar) un Número: Es cuando se juega una ficha mixta en un extremo de forma que se tapa el número que aparecía abierto.

18. Afirmar: Situación en la cual sólo una ficha mixta, la cual llamamos **Firme**, puede jugarse por uno de los extremos. Seguidamente se aclaran los siguientes Lineamientos relacionados con el Firme:

•Puede decirse que el jugador está afirmado al número que aparece abierto en ese extremo.

•El Firme es la **sexta** ficha mixta que se juega de un determinado número independientemente de que la correspondiente ficha doble haya sido jugada.

•El Doble Firme es cuando un jugador posee tanto el Firme como la ficha doble no jugada de un determinado número.

•Los 2 Firmes es cuando un jugador posee Firmes en ambos extremos. Además los 2 Firmes pueden ser del mismo número.

•Romper (o reventar) un Firme es cuando se juega el Firme.

19. Jugar un Número: Es cuando la pareja juega un determinado número con el objetivo de afirmarse al mismo.

20. Pescar: Situación en la cual un jugador no tapa un determinado número mandado por la Oposición debido a que posee varias fichas mixtas del mismo y tiene la esperanza de quedar afirmado. Además no es recomendable aplicarla.

21. Cuadre: Cuando un jugador ocasiona, al jugar una ficha mixta, que los números que pueden ser jugados son iguales.

22. Ahorque: Cuando se imposibilita que juegue la ficha doble de un determinado número debido a que el respectivo Firme es jugado primero. A continuación se aclaran los siguientes Conceptos relacionados con el Ahorque:

•La jugada del Ahorque puede ser forzada.

•Un jugador puede "auto-ahorcarse" una ficha doble si:

  •Rompe un Doble Firme sin jugar la respectiva ficha doble.

  •Produce el Ahorque de una ficha doble que posee debido a que está afirmado por el otro extremo[10].

•Si un jugador tiene (por lo menos) 4 fichas mixtas de un determinado número, el jugador que posea la respectiva ficha doble tendrá la oportunidad de jugarla.

•Si un jugador tiene una Manopla la cual incluye a la respectiva ficha doble, su Ahorque es imposible. Sin embargo, existe la posibilidad de que la mencionada ficha doble no pueda jugarse.

23. Cierre: Situación en la cual no se podrán jugar más fichas.

---

10 El jugador que, inconscientemente, se auto-ahorque se le conocerá como "kamikase" en alusión a los pilotos japoneses "suicidas" de la Segunda Guerra Mundial.

Finalmente, es importante notar que un juego (en equipo) es realmente bueno cuando ambos jugadores de la misma pareja comparten un número fuerte y sobre todo si la pareja posee todas (7) las fichas del mismo.

Jugadas y Estrategias Básicas del Dominó Latino.

A continuación se describen otra serie de Jugadas Básicas y Estrategias, las cuales deben ser ejecutadas por cada jugador con el fin de lograr el triunfo de su pareja. Además, como se podrá apreciar en algunas jugadas, el jugador le suministra una información valiosa a su compañero.

1. Mandar un Número Fuerte: Un jugador, generalmente, debe mandar un número fuerte con el objetivo de jugarlo. Además, un jugador también debe mandar (o jugar), por segunda vez, un determinado número si fue marcado por su compañero. De esta jugada surgen los siguientes refranes: "La repetición crea conceptos"; o "El que repite come confite".

2. Indicar el Número de las Fichas Dobles: Un jugador debe mandar el número que incluya a la respectiva ficha doble con el objetivo de que su compañero sepa cuáles son sus fichas más difíciles de jugar (esta jugada es primordial).

3. Tapar el Número Marcado por un Oponente: Cuando el jugador mata un número si el mismo fue mandado por un miembro de la Oposición.

4. Dejar Abierto un Número: Cuando el jugador evita pegarle a un número el cual está tratando de jugar. Además, cuando se juega una ficha doble (a excepción de la Salida) el jugador deja abiertos ambos números.

5. Repetir un Número: Cuando un número es mandado (o jugado) por segunda vez por el mismo jugador. Además un jugador debe repetir un número fuerte. De esta jugada surgen los siguientes refranes: “La repetición crea conceptos”; o “El que repite come confite”.

6. Cuidar el Juego: Cuando un jugador evita quedar fallo a un número o juega su única ficha doble debido a que considera que puede ganar el set.

7. Evitar Mandar un Número no Acompañado: Esta jugada debe evitarse debido a que el jugador está enviando una información imprecisa.

8. Proteger al Compañero o Evitarle un Posible Pase: Un jugador, si no tiene el control relativo de su pareja, debe evitar que su compañero pueda pasar. El jugador tratará de impedir la posibilidad de que los números que se puedan jugar, por ambos extremos, sean fallos para su compañero en su siguiente turno.

9. Indicar el Tipo de Juego: Cada jugador debe tratar de indicar su tipo de juego (alto o bajo) con el objetivo de que su compañero sepa la seria (alta o baja) de las fichas que debe jugar.

10. Robar el Set: Cuando un jugador, el cual no tiene el control relativo de su pareja, realiza una de las siguientes jugadas:

•Le pega a un determinado número el cual está siendo jugado por su compañero y juega su número fuerte.

•No le pega a un determinado número y su compañero mostró debilidad por el mismo (pudo jugar forzado en su turno anterior). Por lo tanto, no lo está protegiendo y éste podrá pasar en su siguiente turno.

11. Jugar Agresivo (Bajo): Un jugador (generalmente de la pareja salidora) trata de jugar de forma que se evite que se jueguen las fichas altas (o que no salgan los puntos). Además, un jugador debe jugar agresivo si:

•Estima que el set puede ser ganado.

•No tiene un Juego Alto con, por lo menos, una ficha doble alta.

De esta Estrategia surge el primer objetivo del Dominó: Tratar de ganar el set acumulando la **mayor** cantidad posible de puntos.

---

12. Jugar Conservador (Alto): Un jugador (generalmente de la pareja no salidora) trata de jugar de forma que se ocasione que se jueguen las fichas altas (o que salgan los puntos). Además, un jugador debe jugar conservador si:

•Considera que la probabilidad de ganar el set es escasa.

•Tiene un Juego Alto (en la mayoría de los casos tendrá, por lo menos, una ficha doble alta.

De esta Estrategia surge el segundo objetivo del Dominó: Tratar de perder el juego de forma que la Oposición obtenga la **menor** cantidad posible de puntos.

---

13. Jugar a Acumular Puntos: La pareja tiene la opción de jugar agresivo (bajo) debido a que su puntuación no está muy cerca de la cantidad límite de puntos acordada.

14. Jugar a no Acumular Puntos: La pareja debe jugar conservador (alto) debido a que su puntuación está muy cerca de la cantidad límite de puntos acordada. Esta puntuación es subjetiva para cada jugador y para nosotros será:

•Por lo menos 50 puntos si se juega hasta 60.

•Por lo menos 65 puntos si se juega hasta 75, la cual es la cantidad a la cual estoy acostumbrado a jugar.

•Entre 170 y 175 puntos si se juega hasta 200.

Finalmente, si ambas parejas están muy cerca de la cantidad límite de puntos acordada, el jugador debe jugar de la manera que estime más conveniente.

Capítulo 2: La Salida

En este Capítulo se presentan un total de 3 Situaciones de Salida:

•Primera Situación de Salida. El juego del Salidor contiene solamente una ficha doble acompañada.

•Segunda Situación de Salida. El juego del Salidor contiene más de una ficha doble acompañada.

•Tercera Situación de Salida. El juego del Salidor no tiene ninguna ficha doble acompañada.

Las Salidas se presentan de la siguiente manera:

•El juego (las 7 fichas) de "A".

•Los detalles relevantes encontrados en el juego que influyen en la Salida.

•Se propone la ficha mediante la cual "A" debe salir (nuestra opinión). Además la Salida analizada puede ser:

  •Agresiva. En la misma se juega un número bajo.

  •Conservadora. En la misma se juega un número alto.

  •Mala. No debe ser aplicada.

•La(s) razón(es) particular(es) de la Salida.

Finalmente es importante notar los siguientes puntos:

•Habrá casos en los cuales se analizará el riesgo de una Salida.

•Las opciones de Salida serán subrayadas.

Primera Situación de Salida: El juego del Salidor contiene solamente una ficha doble acompañada. Debe salir, en la mayoría de los casos, con la referida ficha doble acompañada debido a que:

•Las fichas dobles, sobre todo si son altas, son más difíciles que jugar que las mixtas.

•La posibilidad de que la Segunda Mano ("B") pueda pasar en su primer turno es mayor debido a que sólo un número está siendo marcado.

A continuación se presentan 2 opciones en las cuales puede haber problemas con respecto a la ficha escogida para salir.

Opción 1. Debe salir con la ficha doble si está contenida en un número fuerte en cantidad de 3 ó 4, a pesar de tener una ficha mixta con los 2 números fuertes. A continuación se presentan 2 ejemplos (estas Salidas son seguras).

Juego #1: (**2;2**),(**2**;3),(**2**;6),(**2;1**),(0;**1**),(4;**1**),(5;**1**).
La (2;2) es la ficha doble acompañada. Además tanto el "**dos**" como el "**uno**" son números fuertes y la (2;1) es la ficha mixta que los contiene. Se **propone** salir con la (**2;2**) y evitar salir con la (**2;1**) (mala y arriesgada).

Juego #2—Manopla: (*0;0*),(*0*;2),(*0*;**5**),(3;**5**),(1;**5**),(6;**5**),(4;**5**).
La (0;0) es la ficha doble acompañada. Además el "**cinco**" está contenido en una Manopla 5 (incluye a 5 fichas mixtas), el "*cero*" es un segundo número fuerte y la (0;5) es la ficha mixta que los contiene. Se **propone** salir con la (**0;0**) y evitar salir con la (**0;5**) (mala y arriesgada).

Opción 2. Debe salir con la aludida ficha doble si está bien acompañada (está en cantidad de 2) a pesar de tener, al menos, un número fuerte.

Manopla: (2;2),(2;3),(**6**;3),(**6**;0),(**6**;1),(**6**;4),(**6**;5).
La (2;2) es la ficha doble bien acompañada y el "**seis**" está contenido en una Manopla. Se **propone** salir con la (**2;2**) y evitar salir con una ficha mixta que contenga el "**seis**" (arriesgada).

Segunda Situación de Salida: El juego del Salidor contiene más de una ficha doble acompañada. Se asumirá que el Salidor está jugando su más alta ficha doble acompañada.

Las principales alternativas de "A" son:

•Salir con la mayor ficha doble acompañada.

•Salir con una ficha doble contenida en un número fuerte.

Seguidamente se presentan 3 opciones.

Opción 1. Salir con la mayor ficha doble acompañada. Seguidamente se presentan 7 ejemplos (estas Salidas son más conservadoras).

Juego #1: (**6;6**),(**6**;4),(**6**;1),(**6**;**2**),(3;**2**),(0;**2**),(**2;2**).
Las (6;6) y (2;2) son las fichas dobles acompañadas que contienen a los números fuertes. Se **propone** salir con la (**6;6**) debido a que esta marca el mayor número fuerte.

Juego #2: (*6;6*),(*6*;2),(*6*;**4**),(**4;4**),(0;**4**),(1;**4**),(5;0).
Las (6;6) y (4;4) son las fichas dobles acompañadas que contienen a los números fuertes. Además el "*seis*" es un segundo número fuerte mayor y el "**cuatro**" es un número fuerte. Se **propone** salir con la (**6;6**) (más conservadora y segura) debido a que marca su mayor número fuerte[1].

Es importante señalar que la (6;6) es más **fácil** de ahorcar. Además la posibilidad de que la pudiese jugar más adelante, en el caso de salir con la (**4;4**) (menos conservadora y muy arriesgada), es **menor**.

Juego #3: (4;4),(4;6),(2;2),(2;**5**),(1;**5**),(0;**5**),(0;3).

Las (4;4) y (2;2) son las fichas dobles acompañadas. Se **propone** salir con la (**4;4**) (conservadora pero arriesgada) debido a que ninguno de los aludidos números es fuerte.

Además la (**2;2**) (agresiva) es buena salida debido a que:

- •Está bien acompañada; y
- •Tiene 2 fichas dobles por jugar.

Juego #4: (6;6),(6;3),(4;3),(4;**2**),(**2;2**),(1;**2**),(1;0).

Las (6;6) y (2;2) son las fichas dobles acompañadas, el "**dos**" es un número fuerte y el "cinco" es un número fallo. Se **propone** salir con la (**6;6**) (conservadora) debido a que tiene un Juego con Fallo.

Por otra parte, la (**2;2**) (agresiva) también es una buena Salida debido a que:

- •Marca su número fuerte; y
- •Tiene 2 fichas dobles por jugar.

Juego #5: (4;4),(4;0),(5;5),(5;**1**),(2;**1**),(**1;1**),(3;6).

Las (5;5), (4;4) (mala) y (1;1) son las fichas dobles acompañadas; y el "**uno**" es un número fuerte. Se **propone** salir con la (**5;5**) (segura) debido a que tiene un Juego Malo (3 fichas dobles por jugar). Por otra parte, la (**1;1**) es una Salida demasiado arriesgada.

---

1 Esta situación sólo se presenta si los números fuertes son altos.

Juego #6: (**3;3**),(**3**;5),(**3**;1),(6;2),(4;4),(4;0),(5;0).

Las (3;3) y (4;4) son las fichas dobles acompañadas (ambas Salidas son buenas); y el "**tres**" es un número fuerte.

Puede salir tanto con la (**4;4**) (conservadora) como la (**3;3**) (agresiva) debido a que:

•Tiene 2 fichas dobles por jugar; y

•La diferencia de los números contenidos en las mismas es mínima.

Juego #7: (5;5),(5;*4*),(*4;4*),(**1**;*4*),(**1;1**),(**1**;0),(**1**;2).

Las (5;5), (4;4) (mala) y (1;1) son las fichas dobles acompañadas; el "**uno**" es un número fuerte; y el "*cuatro*" es un segundo número fuerte. Además tanto el "tres" como el "seis" son números fallos.

Se **propone** salir con la (**4;4**) (menos conservadora). Por otra parte, la (**5;5**) (más conservadora) también es una buena Salida mientras que la (**1;1**) es una Salida muy arriesgada.

Finalmente, es importante señalar que si la mayor ficha doble está mal acompañada, es preferible salir con otra ficha doble si:

•Es alta y está bien acompañada:

•Está contenida en un número fuerte bajo.

Resumiendo, es preferible que "A" salga con la mayor ficha doble acompañada si:

•Está contenida en un número fuerte.

•Las fichas dobles sólo están apoyadas (sus números están en cantidad de 2)

•Está bien acompañada y no tiene un juego suficientemente bueno como para ganar el set. El juego puede ser con fallo o malo (más de 2 fichas dobles).

Opción 2. Salir con la ficha doble que contenga al número fuerte si la mayor ficha doble acompañada sólo está apoyada (su número está en cantidad de 2). Además no debe tener una Manopla. Seguidamente se presentan 10 ejemplos.

Juego #1: (5;5),(5;3),(1;3),(**2;2**),(**2**;0),(**2**;4),(6;4).
Las (5;5) y (2;2) son las fichas dobles acompañadas; y el "**dos**" es un número fuerte. Se **propone** salir con la (**2;2**) (agresiva) debido a que tiene un Juego sin Fallo. Además la (**5;5**) (conservadora) es una buena Salida.

Juego #2: (6;6),(6;**5**),(**5;5**),(2;**5**),(3;1),(4;1),(4;0).
Las (6;6) y (5;5) son las fichas dobles acompañadas; y el "**cinco**" es un número fuerte. Se **propone** salir con la (**5;5**) (menos conservadora) debido a que tiene un Juego sin Fallo. Además la (**6;6**) (más conservadora) es una buena Salida.

Juego #3: (2;2),(2;3),(**1;1**),(**1**;5),(**1**;3),(**1**;0),(*6;6*).
Las (2;2) y (1;1) son las fichas dobles acompañadas; y el "**uno**" es un número fuerte (en cantidad de 4). Se **propone** salir con la (**1;1**) debido a que tiene una gran oportunidad de jugarlo. Además la (**2;2**) es una mala Salida.

Juego #4: (6;6),(6;1),(**5;5**),(**5**;4),(**5**;3),(**5**;1),(0;4).
Las (6;6) y (5;5) son las fichas dobles acompañadas; y el "**cinco**" es un número fuerte (en cantidad de 4). Se **propone** salir con la (**5;5**) debido a que tiene una gran oportunidad de jugarlo. Además la (**6;6**) es una mala Salida.

Juego #5: (5;5),(5;**1**),(2;**1**),(**1;1**),(4;**1**),(4;3),(6;0).
Las (5;5) y (1;1) son las fichas dobles acompañadas; y el "**uno**" es un número fuerte (en cantidad de 4). Se **propone** salir con la (**1;1**) (agresiva) debido a que tiene una gran oportunidad de jugarlo. Además la (**5;5**) (conservadora) es una buena Salida.

Juego #6: (*2;2*),(*2*;1),(*2*;5),(**0**;6),(**0;0**),(**0**;3),(**0**;4).

Las (2;2) y (0;0) son las fichas dobles acompañadas que contienen números fuertes. Además, el segundo número fuerte es el "*dos*" y el número fuerte es el "**cero**".

Se propone salir con la (**0;0**) (más agresiva) debido a que tiene una mejor oportunidad de jugarlo. Por otra parte, la (*2;2*) (menos agresiva) también es una buena Salida[2].

Juego #7: (6;6),(6;3),(5;1),(**4**;1),(**4;4**),(**4**;0),(3;0).

Las (6;6) y (4;4) son las fichas dobles acompañadas. Además, el "**cuatro**" es un número fuerte y el "dos" es un número fallo. Se **propone** salir con la (**4;4**) (menos conservadora) debido a que marca su número fuerte. Por otra parte, la (**6;6**) (más conservadora) también es una buena Salida.

Juego #8: (6;6),(6;**0**),(**0;0**),(2;**0**),(2;2),(3;4),(*1;1*).

Las (6;6), (2;2) (mala) y (0;0) son las fichas dobles acompañadas; y el "**cero**" es un número fuerte. Además tiene un Juego **Bajo** (4 bajas, 2 altas y el "cinco" es un número fallo).

Se **propone** salir con la (**0;0**) debido a que tiene un Juego Bajo. Además la (**6;6**) (conservadora) es una buena Salida.

Juego #9: (5;5),(5;1),(**0**;4),(**0;0**),(**0**;1),(6;6),(3;2).

Las (5;5) y (2;2) son las fichas dobles acompañadas; y el "**cero**" es un número fuerte. Además tiene un Juego **Bajo** (4 bajas y 2 altas). Se **propone** salir con la (**0;0**) debido a que tiene un Juego Bajo. Además la (**5;5**) (conservadora) es una buena Salida.

Juego #10: (4;4),(4;**1**),(**1;1**),(5;**1**),(5;6),(0;6),(0;0).

Las (4;4), (1;1) y (0;0) (mala) son las fichas dobles acompañadas; y el "**uno**" es un número fuerte. Además tiene un Juego **Bajo** (3 bajas y 2 altas). Se **propone** salir con la (**1;1**) debido a que tiene

2 Esta situación sólo se presenta si los números fuertes son bajos.

un Juego Bajo. Además la (**4;4**) (conservadora) es una buena Salida.

Resumiendo, es preferible que "A" salga con la ficha doble contenida en el número fuerte si:

•Tiene un juego suficientemente Bueno como para ganar el set. El juego debe tener 2 fichas dobles por jugar y ser sin Fallo.

•El número fuerte está en cantidad de 4.

•Las fichas dobles involucradas son altas o bajas.

•Tiene un Juego Bajo.

Opción 3. Tiene una Manopla, la cual incluye a la ficha doble y evita jugarla (es mala Salida). A continuación se presentan 2 ejemplos (estas Salidas son seguras).

Manopla #1: (*5;5*),(*5*;2),(*5*;**6**),(1;**6**),(**6;6**),(3;**6**),(4;**6**).
Las (5;5) y (6;6) son las fichas dobles acompañadas; y el "**seis**" está contenido en una Manopla. Se **propone** salir con la (**5;5**) debido a que el Ahorque de la (6;6) es imposible.

Manopla #2: (2;2),(2;**3**),(**3;3**),(4;**3**),(5;**3**),(0;**3**),(0;0).
Las (2;2), (3;3) y (0;0) (mala) son las fichas dobles acompañadas; y el "**tres**" está contenido en una Manopla. Se **propone** salir con la (**2;2**) (la mayor de las fichas dobles que pueden ser ahorcadas) debido a que el Ahorque de la (3;3) es imposible.

Resumiendo, "A" debe evitar salir con una ficha doble si está contenida en una Manopla.

Tercera Situación de Salida: El juego del Salidor no tiene ninguna ficha doble acompañada. Debe salir con la ficha mixta que contiene a los 2 números fuertes.

La razón de esta Salida es que marca sus números fuertes. Además su juego será, en la mayoría de los casos, suficientemente Bueno como para ganar el set y en casos remotos tendrá hasta 2 fichas dobles no acompañadas (debe evitar salir a Caballo)

A continuación se presentan 3 ejemplos (estas Salidas son seguras).

Juego #1: (6;1),(**4**;1),(**4**;0),(**4;3**),(2;**3**),(5;**3**),(5;0).
Se **propone** salir con la (**4;3**) debido a que es la ficha mixta que contiene a los números fuertes.

Juego #2: (**6**;1),(**6**;3),(**6**;4),(**6;0**),(2;**0**),(4;**0**),(5;**0**).
Se **propone** salir con la (**6;0**) debido a que es la ficha mixta que contiene a los números fuertes. Además tiene un excelente juego (ninguna ficha doble) con 2 números fuertes en cantidad de 4 (este juego es tan bueno como una Manopla).

Juego #3—Manopla: (**5**;2),(**5**;3),(**5**;4),(**5**;6),(*5;1*),(0;*1*),(4;*1*).
Se **propone** salir con la (**5;1**) debido a que es la ficha mixta que contiene a los números fuertes. Además este juego es una Manopla 5 (incluye a 5 fichas mixtas del "**cinco**").

A continuación se presentan 3 opciones en las cuales "A" tiene varias alternativas para salir.

Opción 1. Tiene varias fichas mixtas que contienen a 2 números fuertes. Seguidamente se presentan 3 ejemplos (estas Salidas son seguras).

Juego #1: (**6**;2),(**6**;5),(**6;4**),(0;**4**),(**1;4**),(**1**;2),(**1**;5).
El "**uno**", el "**cuatro**" y el "**seis**" son los números fuertes. Además las (6;4) y (1;4) son las 2 fichas mixtas que los contienen. Se

propone salir con la (**1;4**) (agresiva). Por otra parte, la (**6;4**) (conservadora) es una buena Salida.

Juego #2: (**0;3**),(5;**3**),(**6;3**),(**6**;1),(**6;0**),(2;**0**),(1;4).
El "**cero**", el "**tres**" y el "**seis**" son los números fuertes. Además las (0;3), (6;3) y (6;0) son las 3 fichas mixtas que los contienen. Se **propone** salir con la (**0;3**) (agresiva). Por otra parte, la (**6;3**) (conservadora) es una buena Salida.

Juego #3: (*2*;1),(*2*;**5**),(0;**5**),(4;**5**),(*3*;**5**),(*3*;6),(*3;2*).
El "**cinco**" es un número fuerte, mientras que el "*dos*" y el "*tres*" son los segundos fuertes. Además las (2;5) y (3;5) son las 2 fichas mixtas que contienen tanto al número fuerte como a los segundos fuertes.
Puede salir con la (**2;5**) ó la (**5;5**).

Opción 2. No tiene una fichas mixta que contiene a 2 números fuertes pero posee, al menos, un número fuerte. Seguidamente se presentan 3 ejemplos (estas Salidas son arriesgadas).

Juego #1: (6;3),(6;1),(**2**;1),(**2**;0),(**2**;4),(5;4),(5;0).
El "**dos**" es el número fuerte. Además, todos los números (el "cero", el "uno" y el "cuatro") están apoyados. Se **propone** salir con la (**2;0**) (agresiva). Por otra parte, la (**2;4**) (conservadora) es una buena Salida.

Juego #2: (3;2),(4;2),(4;**5**),(1;**5**),(0;**5**),(6;**5**),(6;3).
El "**cinco**" es el número fuerte. Además, el "cuatro" y el "seis" son los números apoyados. Se **propone** salir con la (**4;5**) (menos conservadora). Por otra parte, la (**6;5**) (más conservadora) es una buena Salida.

Juego #3—Manopla: (0;5),(0;**3**),(1;**3**),(2;**3**),(4;**3**),(6;**3**),(6;5).
El "**tres**" está contenido en una Manopla 5 (incluye a 5 fichas mixtas). Además, el "cero" y el "seis" son números apoyados. Se **propone** salir con la (**0;3**) (agresiva). Por otra parte, la (**6;3**) (conservadora) es una buena Salida.

Resumiendo, "A" marca su número fuerte. Además tendrá, en la mayoría de los casos, un juego suficientemente Bueno para ganar el set y en casos remotos tendrá hasta 3 fichas dobles no acompañadas (debe evitar salir en Falso).

Seguidamente se muestra un caso en el cual "A" tiene un juego con 2 números fuertes y se presentan 2 ejemplos (este caso es algo complejo).

Juego #1: (**0**;2),(**0**;3),(**0**;4),(**0**;5),(*6*;1),(*6*;3),(*6*;4).
El "**cero**" y el "*seis*" (segundo) son los números fuertes. Además, el "tres" y el "cuatro" son números apoyados. Se **propone** salir con la (**0;3**) (agresiva). Por otra parte, la (**0;4**) (conservadora) es una buena Salida.

Juego #2: (**6**;1),(**6**;3),(**6**;5),(**0**;1),(**0**;3),(**0**;4),(5;4).
El "**seis**" y el "**cero**" son los números fuertes. Además, el "uno", el "tres" y el "cinco" son números apoyados. Se **propone** salir con la (**0;1**) (agresiva). Por otra parte, la (**6;5**) (conservadora) es una buena Salida.

Opción 3. No posee números fuertes (estas Salidas son más arriesgadas)[3].

---

3 Todas las fichas siempre contendrán números apoyados y podrán ser tomadas en cuenta. Además, "A" debe evitar salir a Caballo si tiene, por lo menos, una ficha doble no acompañada.

Juego #1: (0;3),(3;5),(5;4),(4;2),(2;6),(6;1),(1;0).
La (1;0) es la menor ficha mixta y la (5;4) es la mayor ficha mixta del juego. Se **propone** salir con la (**1;0**) (agresiva). Por otra parte, la (**5;4**) (conservadora) es una buena Salida.

Capítulo 3: El Segunda Mano

En este Capítulo se presentan un total de 2 Situaciones de Jugada:

•Primera Situación de Jugada. El Salidor ("A") inició el set con una ficha doble.

•Segunda Situación de Jugada. El Salidor ("A") inició el set con una ficha mixta.

Las Jugadas se presentan de la siguiente manera:

•La ficha jugada por "A".

•El juego (las 7 fichas) de "B".

•Los detalles relevantes encontrados en el juego que influyen en la jugada.

•Se propone la ficha que "B" debe jugar (nuestra opinión). Además la jugada analizada puede ser:

  •Agresiva. En la misma se juega un número bajo.

  •Conservadora. En la misma se juega un número alto.

  •Mala. No debe ser aplicada.

•La(s) razón(es) particular(es) de la jugada.

Finalmente es importante notar los siguientes puntos:

•Habrá casos en los cuales se analizará el riesgo de una jugada.

•"B" debe aplicar estas jugadas en sus siguientes turnos.

•Las opciones de jugada serán subrayadas.

Primera Situación de Jugada: El set fue iniciado con una ficha doble.

Estas jugadas también deben ser aplicadas en:

•Las Salida mixta.

•Los turnos de los otros jugadores.

Seguidamente se presentan 2 ejemplos.

A1 (2;2)
Juego #1: (2;**1**),(3;**1**),(4;**1**),(0;**1**),(2;6),(6;6),(5;0).
Las opciones de jugada son las (2;1) y (2;6). Además el número fuerte en cantidad de 4 es el "**uno**". Se **propone** jugar la (**2;1**) y mandar el "**uno**" (agresiva pero segura). Por otra parte, la (**2;6**) es una jugada arriesgada, a pesar de que tiene la (6;6), debido a que tiene una gran oportunidad de jugar el "**uno**".

A1 (6;6)
Juego #2: (3;**2**),(4;**2**),(**6;2**),(**6**;0),(**6**;5),(5;5),(1;1).
Las opciones de jugada son las (6;2), (6;0) (mala) y (6;5). Además los números fuertes son el "**dos**" y el "**seis**" (el número de "A"). Se **propone** jugar la (**6;2**) y mandar el "**dos**" (agresiva).
Por otra parte, la (**6;5**) (conservadora) es una buena jugada debido a que:

•El "cinco" está acompañado por la (5;5).

•No tiene una gran oportunidad de jugar el "**dos**".

Resumiendo, "B" debe marcar un número fuerte en vez de un número apoyado.

A continuación se presentan 4 opciones en las cuales "B" tiene varias jugadas para mandar números fuertes o apoyados. Además, las principales alternativas de "B" serán:

•Marcar el número que incluya a la ficha doble.

•Marcar el número menor.

•Marcar el número mayor.

Opción 1. Mandar el número que contenga a su única ficha doble. Seguidamente se presentan 3 ejemplos (estas jugadas son primordiales).

A1 (3;3)

Juego #1: (3;**5**),(**5;5**),(2;**5**),(**5;6**),(3;**6**),(2;**6**),(4;**6**).

Las opciones de jugada son las (3;5) y (3;6) (mala); y los números fuertes son el "**cinco**" y el "**seis**". Se **propone** jugar la **(3;5)** y mandar el "**cinco**" debido a que incluye a la (5;5).

A1 (5;5)

Juego #2: (0;6),(*4;4*),(5;**4**),(5;**1**),(*4*;**1**),(2;**1**),(0;**1**).

Las opciones de jugada son las (5;1) (mala) y (5;4). Además el número fuerte es el "**uno**" y el segundo número fuerte que incluye a la (4;4) es el "*cuatro*". Se **propone** jugar la (**5;4**) y mandar el "*cuatro*".

A1 (4;4)

Juego #3: (2;5),(3;5),(3;2),(1;6),(4;6),(4;0),(0;0).

Las opciones de jugada son las (4;6) y (4;0). Además tanto el "seis" como el "cero" son números apoyados y tiene una ficha doble por jugar: la (0;0). Se **propone** jugar la (**4;0**) y mandar el "cero". Por otra parte, la (**4;6**) (conservadora) es una buena jugada.

Resumiendo, "B" debe marcar el número que incluya a su única ficha doble (primordial) debido a que tiene un juego suficientemente bueno como para ganar el set.

Opción 2. Mandar el número (fuerte) que se encuentre en mayor cantidad en el juego. Seguidamente se presentan 2 ejemplos.

A1 (0;0)
Juego #1: (0;**2**),(3;**2**),(*5*;**2**),(4;**2**),(0;*5*),(3;*5*),(3;6).
Las opciones de jugada son las (0;2) y (0;5). Además el número fuerte es el "**dos**" y el segundo número fuerte es el "*cinco*". Se **propone** jugar la (**0;2**) y mandar el "**dos**" (agresiva pero segura). Por otra parte, la (**0;5**) (conservadora) es una buena jugada.

A1 (1;1)
Juego #2: (1;*5*),(*5;5*),(*5*;**6**),(1;**6**),(2;**6**),(4;**6**),(0;2).
Las opciones de jugada son las (1;6) y (1;5) (ambas jugadas son buenas). Además el número fuerte es el "**seis**" y el segundo número fuerte que incluye a la (5;5) es el "*cinco*". Puede jugar tanto la (**1;6**) (segura) como la (**1;5**) (primordial) debido a que en ambos casos marca un número alto.

Resumiendo, "B" en algunos casos, debe optar por mandar el número fuerte que tenga en mayor cantidad debido a que tiene una mejor oportunidad de jugarlo.

Opción 3. Mandar el menor número. Seguidamente se presentan 5 ejemplos (estas jugadas son más agresivas).

A1 (2;2)

Juego #1: (6;**1**),(3;**1**),(2;1),(2;0),(2;**4**),(5;**4**),(6;**4**).

Las opciones de jugada son las (2;1), (2;0) (mala) y (2;4). Además los números fuertes (en cantidad de 3) son el "**uno**", el "**cuatro**" y el "**dos**" (el número de "A"). Se **propone** jugar la (**2;1**) y mandar el "**uno**" (agresiva) debido a que tiene un excelente juego sin fichas dobles. Por otra parte, la (**2;4**) (conservadora) es una buena jugada.

A1 (5;5)

Juego #2: (2;0),(2;1),(5;1),(5;6),(4;6),(4;0),(3;0).

Las opciones de jugada son las (5;1) y (5;6). Además tanto el "uno" como el "seis" son números en cantidad de 2. Se **propone** jugar la (**5;1**) y mandar el "uno" (agresiva) debido a que tiene un excelente juego sin fichas dobles. Por otra parte, la (**5;6**) (conservadora) es una buena jugada.

A1 (3;3)

Juego #3: (3;**0**),(**6;0**),(5;**0**),(3;**6**),(2;**6**),(1;1),(4;1).

Las opciones de jugada son las (3;0) y (3;6); y los números fuertes (en cantidad de 3) son el "**cero**" y el "**seis**". Además tiene una ficha doble por jugar: la (1;1). Se **propone** jugar la (**3;0**) y mandar el "**cero**" (agresiva) debido a que tiene no tiene ninguna ficha doble alta. Por otra parte, la (**3;6**) (conservadora) es una buena jugada.

A1 (0;0)

Juego #4: (0;5),(1;5),(0;3),(2;3),(2;2),(1;6),(4;6).

Las opciones de jugada son las (0;5) y (0;3). Además tanto el "cinco" como el "tres" son números en cantidad de 2 y tiene una ficha doble por jugar: la (2;2). Se **propone** jugar la (**0;3**) y mandar el "tres" (agresiva) debido a que no tiene ninguna ficha doble alta. Por otra parte, la (**0;5**) (conservadora) es una buena jugada.

A1 (1;1)

Juego #5—Manopla: (1;2),(**4**;2),(1;5),(**4**;5),(**4;4**),(**4**;3),(**4**;6).

Las opciones de jugada son las (1;2) y (1;5). Además tanto el "dos" como el "cinco" son números en cantidad de 2. Por otra parte, el "**cuatro**" está contenido en una Manopla 5D. Se **propone** jugar la (**1;2**) y mandar el "dos" (agresiva) debido a que tiene un juego muy poderoso. Por otra parte, la (**1;5**) (conservadora) es una buena jugada.

Resumiendo, "B" debe marcar el menor número (agresiva) si tiene un juego suficientemente Bueno como para ganar el set. El juego puede ser:

•Excelente (ninguna ficha doble).

•Muy Bueno (una ficha doble la cual no debe ser alta).

•Una Manopla.

Opción 4. Mandar el mayor número. Seguidamente se presentan 7 ejemplos (estas jugadas son más conservadoras).

A1 (6;6)

Juego #1: (6;**3**),(4;**3**),(2;**3**),(**5;3**),(6;**5**),(4;**5**),(0;**5**).

Las opciones de jugada son las (6;3) (mala) y (6;5); y los números fuertes (en cantidad de 4) son el "**tres**" y el "**cinco**". Se **propone** jugar la (**6;5**) y mandar el "**cinco**" debido a que no se puede ahorcar la (5;5).

A1 (4;4)

Juego #2: (3;**2**),(4;**2**),(**5;2**),(4;**5**),(1;**5**),(1;6),(6;6).

Las opciones de jugada son las (4;2) y (4;5); y los números fuertes (en cantidad de 3) son el "**dos**" y el "**cinco**". Además tiene una ficha doble por jugar: la (6;6) y un Juego **Alto** (4 altas, 1 baja y el "cero" es un número fallo).

Se **propone** jugar la (**4;5**) y mandar el "**cinco**" (conservadora) debido a que tiene una ficha doble alta. Además la (**4;2**) (agresiva) es una buena jugada.

A1 (4;4)

Juego #3: (3;2),(4;2),(3;1),(**5**;1),(**5;5**),(**5**;6),(4;6).

Las opciones de jugada son las (4;2) y (4;6). Además tanto el "dos" como el "seis" son números en cantidad de 2. Por otra parte, tiene una ficha doble por jugar: la (5;5) y un Juego **Alto** (3 altas, 2 bajas y el "cero" es un número fallo).

Se **propone** jugar la (**4;6**) y mandar el "seis" (segura) debido a que tiene una ficha doble alta. Además la (**4;2**) es una jugada demasiado arriesgada.

A1 (5;5)

Juego #4: (5;**1**),(**1;1**),(**6;1**),(5;**6**),(**3;6**),(**3;3**),(**3**;2).

Las opciones de jugada son las (5;1) y (5;6). Además los números fuertes (en cantidad de 3) son el "**uno**", el "**seis**" y el "**tres**"; y tiene 2 fichas dobles por jugar: la (1;1) y (3;3). Se **propone** jugar la (**5;6**) y mandar el "**seis**" (conservadora) debido a que tiene no tiene un juego suficientemente Bueno como para ganar el set (2 fichas dobles por jugar).

Por otra parte, la (**5;1**) (agresiva pero primordial) es una buena jugada debido a que no tiene ninguna ficha doble alta por jugar.

A1 (6;6)

Juego #5: (2;2),(6;2),(6;4),(5;4),(5;3),(3;3),(1;0).

Las opciones de jugada son las (6;2) y (6;4). Además tanto el "dos" como el "cuatro" son números en cantidad de 2 y tiene 2 fichas dobles por jugar: las (2;2) y (3;3). Se **propone** jugar la (**6;4**) y mandar el "cuatro" (conservadora) debido a que tiene no tiene un juego suficientemente Bueno como para ganar el set (2 fichas dobles por jugar).

Por otra parte, la (**6;2**) (agresiva pero primordial) es una buena jugada debido a que no tiene ninguna ficha doble alta por jugar.

A1 (0;0)

Juego #6: (*6;6*),(0;*6*),(**5;***6*),(0;**5**),(**5;5**),(4;**5**),(2;**5**).

Las opciones de jugada son las (0;5) (mala) y (0;6). Además el número fuerte es el "**cinco**" y el segundo número fuerte es el "*seis*". Se **propone** jugar la (**0;6**) y mandar el "*seis*" debido a que indica el número de su mayor ficha doble.

A1 (5;5)

Juego #7: (2;1),(2;4),(0;4),(3;3),(5;3),(5;6),(6;6).

Las opciones de jugada son las (5;3) (mala) y (5;6). Además tanto el "tres" como el "seis" están acompañados por las (3;3) y (6;6). Se **propone** jugar la (**5;6**) y mandar el "seis" debido a que indica el número de su mayor ficha doble.

Resumiendo, "B" debe marcar el mayor número (conservadora) si:

•El número es fuerte en cantidad de 4.

•No tiene un juego suficientemente bueno como para ganar el set. El juego puede tener una ficha doble alta o, por lo menos, 2 fichas dobles por jugar.

Además, "B" debe (preferiblemente) mandar el mayor número no acompañado o huérfano si sólo puede jugar esta clase se número.

Segunda Situación de Jugada: El set fue iniciado con una ficha mixta. Se asumirá que ambas parejas tienen la opción de jugar para acumular puntos.

Es probable que "A" tenga un gran juego, el cual puede ser:

•Excelente (ninguna ficha doble por jugar).

•Una Manopla.

Es muy probable que un número alto sea fuerte (en el juego) para "A". Además, esta probabilidad aumentará cuanto mayor este número sea.

"B", en la mayoría de los casos, debe jugar conservador si puede marcar un número alto.

Las jugadas que deben ser tomadas en cuenta serán subrayadas.

A continuación se presentan 2 opciones. Además, las principales alternativas de "B" serán:

•Jugar la ficha doble de un número marcado por "A".

•Tapar un número marcado por "A" mediante una ficha mixta.

Opción 1. Jugar la ficha doble de un número marcado por "A" si está acompañada.

Esta es su jugada **principal** debido a que evita que el Tercera Mano ("C") pueda cuadrar el set. Además:

•Debe evitar jugar la mencionada ficha doble si su Ahorque es imposible (el número de "A" debe ser fuerte en cantidad de 4 ó más) y puede mandar (por lo menos) un número apoyado.

•Debe jugar la aludida ficha doble, a pesar de no estar acompañada, si evita mandar un número huérfano.

A1 (5;2)

Juego #1: (*2;2*),(3;0),(3;3),(0;3),(0;0),(6;0),(*5;4*).

La (2;2) coincide con el "dos" (uno de los números de "A") y no está acompañada. Además sólo tiene una opción de jugada para tapar el "cinco" (el otro número de "A"): la (5;4) (mala) debido a que es una ficha mixta no acompañada. Se **propone** jugar la **(2;2)** debido a que evita mandar un número huérfano[1].

A continuación se presentan 2 Casos (A y B).

Caso A. La referida ficha doble es alta y está acompañada. A continuación se presentan 2 ejemplos.

A1 (5;3)
Juego #1: (3;4),(2;4),(3;1),(**1;1**),(0;**1**),(6;**1**),(*5;5*).
La (5;5) coincide con el "dos" (uno de los números de "A") y no está acompañada. Además el "**uno**" es un número fuerte que incluye a la (1;1). Se **propone** jugar la **(3;1)** (agresiva y primordial) debido a que "A" debe repetir el "cinco"[2].

A1 (6;1)
Juego #2: (1;**4**),(3;**4**),(2;**4**),(2;5),(0;5),(0;6),(6;6).
La (6;6) coincide con el "seis" (uno de los números de "A") y está acompañada por la (0;6). Además el "**cuatro**" es un número fuerte. Se **propone** jugar la **(6;6)**[3].

Caso B. La aludida ficha doble no es alta. Seguidamente se presentan 3 ejemplos (estas jugadas son seguras).

A1 (4;1)
Juego #1: (4;**2**),(**2;2**),(5;**2**),(1;0),(**1;1**),(**1**;5),(3;5).
La (1;1) coincide con el "**uno**" (uno de los números de "A"). Se **propone** jugar la (**1;1**). Además la (**4;2**) (agresiva y primordial) es una buena jugada debido a que el "**dos**" es un número fuerte que incluye la (2;2).

---

1 Esta jugada también debe ser aplicada por el Cuarta Mano ("D").
2 Si la (5;5) hubiese estado acompañada, "B" debe jugarla.
3 Si la (6;6) no hubiese estado acompañada, es preferible jugar la (**1;4**) y mandar el "**cuatro**" (conservadora).

Por otra parte, el "**cinco**" es otro número fuerte y la (**1;5**) también es una buena jugada (conservadora).

A1 (3;2)

Juego #2: (3;6),(0;**6**),(4;**6**),(**2;2**),(5;2),(4;**2**),(3;1).

La (2;2) coincide con el "**dos**" (uno de los números de "A") y el "**seis**" es un número fuerte. Se **propone** jugar la (**2;2**) debido a que quedará con un juego suficientemente bueno como para ganar el set.

A1 (3;2)

Juego #3: (3;3),(3;5),(2;4),(2;**0**),(**0;0**),(5;**0**),(4;6).

La (3;3) coincide con el "tres" (uno de los números de "A"). Se **propone** jugar la (**3;3**). Además la (**2;0**) (agresiva y primordial) es una buena jugada debido a que el "**cero**" es un número fuerte que incluye la (0;0).

Resumiendo, "B" debe jugar la ficha doble de un número marcado por "A" si está acompañada.

Opción 2. Tapar un número marcado por "A" mediante una ficha mixta. Además debe evitar jugar una ficha doble si puede mandar un número fuerte alto el cual incluye (preferiblemente) a la respectiva ficha doble (estas jugadas son conservadoras).

La razón por la que "B" debe jugar conservador es que indica que tiene un Juego Alto en vista de que "A" puede tener un gran juego. Seguidamente se presentan 2 casos (A y B).

Caso A. Tiene la ficha doble del número que va a tapar, el cual debe ser bajo. Además dicho número debe estar apoyado (en cantidad de 2).

A1 (2;0)

Juego: (0;0),(0;**5**),(6;**5**),(1;**5**),(4;**5**),(2;6),(4;6).

La (0;0) coincide con el "cero" (uno de los números de "A") y está acompañada por la (0;5). Además el "**cinco**" es un número fuerte. Se **propone** jugar la (**0;5**) y mandar el "**cinco**".

Por otra parte, la (**0;0**) es una mala jugada debido a que:

- El "cero" no es fuerte; y
- Tiene una gran oportunidad de jugar el "**cinco**".

Caso B. Tiene la ficha doble del número que no va a tapar. A continuación se presentan 5 ejemplos.

A1 (4;2)

Juego #1: (2;**5**),(**5;5**),(3;**5**),(1;**5**),(4;4),(4;0),(1;1).

La (4;4) (mala) coincide con el "cuatro" (uno de los números de "A") y el "**cinco**" es un número fuerte que incluye a la (5;5). Se **propone** jugar la (**2;5**) y mandar el "**cinco**".

A1 (4;5)

Juego #2: (4;**6**),(0;**6**),(2;**6**),(2;2),(3;1),(3;5),(5;5).

La (5;5) coincide con el "cinco" (uno de los números de "A") y el "**seis**" es un número fuerte. Puede jugar tanto la (**4;6**) (arriesgada) como la (**5;5**) (segura).

A1 (3;2)

Juego #3: (3;3),(3;1),(1;1),(2;**4**),(5;**4**),(6;**4**),(6;0).

La (3;3) coincide con el "tres" (uno de los números de "A") y el "**cuatro**" es un número fuerte. Puede jugar tanto la (**2;4**) (arriesgada) como la (**3;3**) (segura).

A1 (5;2)

Juego #4: (2;2),(2;4),(**6**;4),(**6;6**),(**6;5**),(1;**5**),(0;**5**).

La (2;2) (mala) coincide con el "dos" (uno de los números de "A"), el "**cinco**" (el otro número de "A") es fuerte y el "**seis**" es un número fuerte que incluye a la (6;6). Se **propone** jugar la (**5;6**) y mandar el "**seis**" (primordial).

A1 (4;0)

Juego #5: (4;**5**),(**5;5**),(6;**5**),(**0;0**),(1;**0**),(3;**0**),(3;2).

La (0;0) (mala) coincide con el "**cero**" (uno de los números de "A") y el "**cinco**" es un número fuerte que incluye a la (5;5). Se **propone** jugar la (**4;5**) y mandar el "**cinco**" (primordial).

Resumiendo, "B" debe evitar jugar la ficha doble de un número marcado por "A" y marcar un número fuerte alto el cual incluye a la respectiva ficha doble (la jugada es primordial y juega conservador).

Capítulo 4: El Tercera Mano

En este Capítulo se presentan un total de 3 Situaciones de Jugada[1].

•Primera Situación de Jugada. El set fue iniciado con una ficha doble. Además, tanto el número de "A" como el de "B" están abiertos.

•Segunda Situación de Jugada. El set fue iniciado con una ficha mixta y los 2 números de "A" están abiertos.

•Tercera Situación de Jugada. El set fue iniciado con una ficha mixta. Además, tanto un número de "A" como el de "B" están abiertos.

Las jugadas se presentan de la siguiente manera:

•Las fichas jugadas por "A" y "B".

•El juego (las 7 fichas) de "C".

•Los detalles relevantes encontrados en el juego que influyen en la jugada.

•Se propone la ficha que "C" debe jugar (nuestra opinión). Además la jugada analizada podrá ser:

1 Se asumirá que ambas parejas tienen la opción de jugar para acumular puntos.

- Agresiva. En la misma se juega un número bajo.
- Conservadora. En la misma se juega un número alto.
- Mala. No debe ser empleada / aplicada.

•La(s) razón(es) particular(es) de la jugada.

Finalmente es importante notar los siguientes puntos:

•"C" debe jugar (principalmente) por el número marcado por "B".

•Habrá casos en los cuales se mencionará / analizará el riesgo de una jugada.

•"C" debe aplicar estas jugadas en sus siguientes turnos.

•Las opciones de jugada serán subrayadas.

Primera Situación de Jugada: El set fue iniciado con una ficha doble. Además, tanto el número de "A" como el de "B" están abiertos debido a que "B" jugó una ficha mixta.

A continuación se presentan 2 opciones, en las cuales "C" juega por el marcado por "B" y las principales alternativas de "C" son:

•Tapar un número marcado por "B" mediante una ficha mixta.

•Jugar la ficha doble del número marcado por "B".

Opción 1. Tapar el número marcado por "B" mediante una ficha mixta. Seguidamente se presentan 3 casos (A, B y C). Además las principales alternativas de "C" son:

•Marcar el número fuerte que incluye a la ficha doble.

•Buscar la **Entrada** del número marcado por "A". El término **Entrada** se define como la situación en la cual el número abierto en uno (o ambos) extremos de la cadena de fichas permite que la pareja pueda mandar o repetir uno de los números que intenta jugar.

•Tratar de evitar jugar o "**corretear**" la ficha doble alta del número marcado por "B".

Es importante notar que todas las alternativas también deben ser aplicadas en las Salidas Mixtas.

Caso A. Mandar (preferiblemente) un número bajo si puede producir la **Entrada** del número de "A" (estas jugadas son más agresivas).

La razón por la que "C" debe buscar la **Entrada** es permitir que "A" pueda tener la oportunidad de jugar el número de la Salida. Además es importante notar los siguientes puntos:

•Este caso también debe aplicarse con otros números mandados por "A". Además "A" puede aplicarlo con los números mandados por "C".

•La Entrada debe ser buscada mediante números altos si las respectivas fichas dobles ya fueron jugadas.

•Si puede mandar un número fuerte el cual incluye a la ficha doble (primordial), es preferible no aplicar este caso.

A1 (5;5)—B1 (5;0)
Juego: (0;**2**),(5;**2**),(**2;2**),(*3*;**2**),(0;*3*),(4;*3*),(1;6).
Tiene 2 opciones de jugada para tapar el "cero" (el número de "B"): las (0;2) y (0;3) (mala). Además el "**dos**" es un número fuerte que incluye a la (2;2) y el "*tres*" es un segundo número fuerte. Se **propone** jugar la (**0;2**) y mandar el "**dos**" (primordial).

•Si la Salida fue forzada, es preferible que no aplique este caso.

Seguidamente se presentan 5 ejemplos.

A1 (5;5)—B1 (5;4)

Juego #1: (4;**2**),(1;**2**),(3;**2**),(4;**0**),(5;**0**),(6;**0**),(6;6).

Tiene 2 opciones de jugada para matar el "cuatro" (el número de "B"): las (4;2) y (4;0) (mala). Además tanto el "**dos**" como el **cero**" son números fuertes pero el "**cero**" incluye a la (0;5).

La (2;5) es la ficha mixta que produce la **Entrada** del "cinco" (el número de "A") y la misma no aparece en el juego. Se **propone** jugar la (**4;2**), mandar el "**dos**" y buscar la (**2;5**).

A1 (3;3)—B1 (3;6)

Juego #2: (5;**2**),(6;**2**),(3;**2**),(6;**1**),(0;1),(0;5),(4;4).

Tiene 2 opciones de jugada para pegarle al "seis" (el número de "B"): las (6;2) y (6;1) (ambas jugadas son buenas y agresivas). Además el "**dos**" es un número fuerte que incluye a la (2;3) y el "uno" es un número acompañado por la (1;0).

La (1;3) es la ficha mixta que produce la **Entrada** del "tres" (el número de "A") y la misma no aparece en el juego. Puede jugar tanto la (**6;1**) (arriesgada) y buscar la (**1;3**); como la (**6;2**) (segura).

A1 (5;5)—B1 (5;2)

Juego #3: (2;**6**),(1;**6**),(4;**6**),(2;3),(4;3),(1;0),(5;0).

Tiene 2 opciones de jugada para pegarle al "dos" (el número de "B"): las (2;6) y (2;3). Además el "**seis**" es un número fuerte y el "tres" es un número acompañado por la (4;3). Tanto la (6;5) como la (3;5) son las fichas mixtas que producen la **Entrada** del "cinco" (el número de "A") y no aparecen en el juego.

Se **propone** jugar la (**2;6**), mandar el "**seis**" (conservadora) y buscar la (**6;5**) debido a que "A" salió con una ficha alta y puede tener un Juego **Alto**. Por otra parte, la (**2;3**) (agresiva) también es una buena jugada debido a que busca la (**3;5**).

A1 (2;2)—B1 (2;0)

Juego #4: (0;**5**),(4;**5**),(3;**5**),(0;1),(4;1),(2;6),(3;6).

Tiene 2 opciones de jugada para tapar el "uno" (el número de "B"): las (0;5) y (0;1). Además el "**cinco**" es un número fuerte y el "uno" es un número acompañado por la (5;1).

Tanto la (5;2) como la (1;2) son las fichas mixtas que producen la **Entrada** del "dos" (el número de "A") y no aparecen en el juego.

Se **propone** jugar la (**0;1**), mandar el "uno" (agresiva) y buscar la (**1;2**) debido a que "A" no salió con una ficha alta puede tener un Juego **Bajo**. Por otra parte, la (**0;5**) (conservadora) también es una buena jugada debido a que busca la (**5;2**).

A1 (1;1)—B1 (1;5)

Juego #5: (5;**2**),(4;**2**),(6;**2**),(1;**2**),(5;*0*),(4;*0*),(3;*0*).

Tiene 2 opciones de jugada para pegarle al "cinco" (el número de "B"): las (5;2) y (5;0) (ambas jugadas son agresivas). Además el "**dos**" es un número fuerte que incluye a la (2;1) y el "*cero*" es un segundo fuerte.

La (0;1) es la ficha mixta que produce la **Entrada** del "uno" (el número de "A") y no aparece en el juego. Se **propone** jugar la (**5;0**), mandar el "*cero*" (arriesgada) y buscar la (**0;1**). Por otra parte, la (**5;2**) (segura) también es una buena jugada. Sin embargo, es más probable que "A" esté fallo al "**dos**".

Es importante destacar los siguientes puntos:

•Debe evitar buscar la Entrada si tiene un Juego Alto con, por lo menos, una ficha doble alta.

A1 (3;3)—B1 (3;5)

Juego: (5;2),(5;6),(**4**;2),(**4**;0),(**4;4**),(**4**;3),(3;6).

Tiene 2 opciones de jugada para matar el "cinco" (el número de "B"): las (5;2) y (5;6). Además tanto el "dos" como el "seis" son números acompañados por las (5;2) y (3;6). Por otra parte, el "**cuatro**" es un número fuerte que incluye a la (4;4).

La (2;3) es la ficha mixta que produce la **Entrada** del "tres" (el número de "A") y no aparece en el juego. Además tiene un Juego **Alto** (5 altas, 1 baja y el "uno" es un número fallo). Se **propone** jugar la (**5;6**) y mandar el "seis" (conservadora). Por otra parte, la (**5;2**) es una jugada muy arriesgada[2].

•Debe marcar el número menor si puede mandar números en la misma cantidad, debido a que debe jugar agresivo y tratar de evitar que la Oposición bote puntos.

•Si tiene que pegarle (o jugar por) al número de "A", deberá (estas jugadas también pueden ser aplicadas por "A"):

• Mandar el número fuerte y/o el número que incluya a la respectiva ficha doble (primordial).

• Mandar el menor número si ninguno incluye a la respectiva ficha doble debido a que trata de evitar que la Oposición bote puntos.

• Optar por mandar un número bajo en cantidad de 2 (agresiva) en vez de un número fuerte alto en cantidad de 3 el cual no incluye a la respectiva ficha doble (conservadora).

Resumiendo, "C" debe buscar la Entrada del número de "A". Sin embargo, "C" debe evitar buscar la Entrada si:

•Puede marcar un número fuerte el cual incluye a la respectiva ficha doble.

•Tiene un Juego Muy Alto y puede jugar conservador.

---

2 Esta jugada siempre deberá hacerla si tiene un Juego Alto con, por lo menos, una ficha doble alta.

Caso B. Pegarle al número marcado por "B" y mandar un número bajo no acompañado (tapa con el "fallo"). Además el aludido número de "B" debe ser alto y mayor que el de "A" (estas jugadas son agresivas, muy arriesgadas y quedarán al criterio del jugador).

La razón por la que manda el número bajo no acompañado (juega más arriesgado) es que trata de evitar que la ficha doble del número de "B" juegue debido a que es menos probable que "A" la tenga ("la **corretea**"). Además es importante señalar los siguientes puntos:

•Las fichas dobles que (preferiblemente) "**correteará**" o "**morderá**" son las (6;6) y (5;5)[3].

•Busque la **Entrada** del número de "A".

•Evite quedar expuesto a mandar el número de "B", de manera forzada, en sus siguientes turnos.

•Es preferible que no tenga un Juego Alto con (por lo menos) una ficha doble alta.

•Este caso puede ser aplicado por cualquier jugador y, algunas veces, no importará la serie (alta o baja) del número que se está tapando.

•Si la pareja no tiene la opción de jugar para acumular puntos, este caso no deberá ser aplicado.

•Puede jugar una ficha mixta no acompañada.

A1 (3;3)—B1 (3;6)
Juego: (3;**4**),(**4;4**),(1;**4**),(1;0),(1;5),(0;5),(*6;2*).
Sólo tiene una opción de jugada para tapar el "seis" (el número de "B"): la (*6;2*), una ficha mixta no acompañada. Además sólo tiene una opción de jugada para tapar el "tres":

3 Estas expresiones surgen tanto del Dr. Gustavo García de Paredes como del Sr. Raul de Mena.

la (**3;4**) y el "**cuatro**" es un número fuerte que incluye a la (4;4).

Por otra parte, no tiene un Juego Alto (3 bajas y 3 altas). Se **propone** jugar la (**6;2**), mandar el "dos" y "**corretear**" a la (6;6). Por otra parte, la (**3;4**) (conservadora) también es una buena jugada.

•Si no se presentan las condiciones descritas, es preferible evitar jugar una ficha mixta no acompañada.

•Las otras situaciones en las cuales es preferible jugar una ficha mixta no acompañada son:

•El número de la Salida está, por lo menos, en cantidad de 2 en el juego.

•Puede mandar un número alto no acompañado (debe ser el "cuatro") si es menor que el número de "B" (debe ser el "seis"). Además "A" salió con la (5;5), "B" jugó la (5;6) y la (6;4) es la ficha mixta que deberá ser jugada.

•Tiene que jugar otra ficha mixta no acompañada al tapar el número de "A" (tendrá un juego con 2 fichas mixtas huérfanas).

•El set fue iniciado con una ficha mixta y el número de "B" es alto.

A continuación se presentan 4 ejemplos.

A1 (3;3)—B1 (3;5)

Juego #1: (5;1),(5;4),(4;4),(0;6),(0;3),(0;2),(2;2).

Tiene 2 opciones de jugada para matar el "cinco" (el número de "B"): las (5;1) y (5;4). Además el "cuatro" es un número acompañado por la (4;4), el "uno" es un número no acompañado y tiene otra ficha doble por jugar: la (2;2).

Tiene un Juego **Bajo** (3 bajas y 2 altas) y el "cinco" es mayor que el "tres" (el número de "A"). Se **propone** jugar la (**5;1**), mandar el "uno" y "**morder**" a la (5;5). Por otra parte, la (**5;4**) (conservadora) también es una buena jugada.

A1 (2;2)—B1 (2;6)

Juego #2: (*6*;1),(*6*;**5**),(3;**5**),(4;**5**),(0;**5**),(*6*;0),(3;2).

Tiene 3 opciones de jugada para tapar el "*seis*" (el número de "B"): las (6;5), (6;0) (mala) y (6;1). Además el "**cinco**" es un número fuerte, el "cero" es un número acompañado por la (5;0) y el "uno" es un número no acompañado.

Por otra parte, tiene un Juego **Alto** (4 altas y 2 bajas). Puede jugar tanto la (**6;1**) ("**muerde**" a la
doble sena) como la (**6;5**) (conservadora).

A1 (3;3)—B1 (3;6)

Juego #3: (6;1),(6;**2**),(5;**2**),(**4;4**),(0;**4**),(5;**4**),(3;**2**).

Tiene 2 opciones de jugada para tapar el "seis" (el número de "B"): las (6;2) y (6;1). Además el "**dos**" es un número fuerte y el "uno" es un número no acompañado. Por otra parte, el "**cuatro**" es un número fuerte que incluye a la (4;4), no lo puede mandar y tiene un Juego **Alto** (5 altas y 2 bajas).

Se **propone** jugar la (**6;1**), mandar el "uno" y "**corretear**" a la (6;6) debido a que no puede jugar conservador. Por otra parte, la (**6;2**) (agresiva) también es una buena jugada.

A1 (1;1)—B1 (1;5)

Juego #4: (5;3),(5;2),(2;2),(1;6),(1;0),(6;0),(4;0).

Tiene 2 opciones de jugada para pegarle al "cinco" (el número de "B"): las (5;2) y (5;3). Además el "dos" es un número acompañado por la (2;2) y el "tres" es un número no acompañado.

Por otra parte, el "cinco" es mayor que el "uno" (el número de "A"). Se **propone** jugar la (**5;3**), mandar el "tres" y "**morder**" a la (5;5) debido a que el "dos" no es un número fuerte. Además la (**5;2**) (agresiva y primordial) también es una buena jugada.

Resumiendo, "C" debe marcar el número no acompañado o huérfano (mata con el "fallo") y "corretear" o "morder" la ficha doble alta del número marcado por "B" con el objetivo de tratar de evitar que juegue. Además, el número de "B" debe ser mayor que el de "A".

Caso C. Puede mandar números altos al jugar por el número de "B". Seguidamente se presentan 2 ejemplos[4].

A1 (6;6)—B1 (6;2)
Juego #1: (2;**5**),(4;**5**),(6;**5**),(*0*;**5**),(*0*;2),(*0*;3),(4;3).
Tiene 2 opciones de jugada para matar el "dos" (el número de "B"): las (2;5) y (2;0) (mala). Además el "**cinco**" es un número fuerte que no incluye a la (5;5). Se **propone** jugar la (**2;5**) y mandar el "**cinco**" debido a que el Ahorque de la (5;5) es **imposible**.

A1 (3;3)—B1 (3;1)
Juego #2: (1;**4**),(2;**4**),(6;**4**),(1;5),(5;5),(3;0),(2;0).
Tiene 2 opciones para pegarle al "uno" (el número de "B"): las (1;4) y (1;5). Además el "**cuatro**" es un número fuerte que no incluye a la (4;4) ni a la (3;4) y el "cinco" es un número acompañado por la (5;5).
Se **propone** jugar la (**1;4**) y mandar el "**cuatro**" (segura) debido a que puede jugarlo y busca la (**3;4**). Por otra parte, la (**1;5**) (arriesgada pero primordial) también es una buena jugada[5].

Finalmente es importante notar los siguientes puntos:

•Si la Salida fue forzada, puede optar por:

4 Estas jugadas también deben ser aplicadas en los siguientes turnos del Salidor ("A").
5 Si hubiera tenido la (3;4), es preferible jugar la (**1;5**).

•Pegarle al número de "A" y marcar un número fuerte.

•Dejar abierto el número de "B" si es fuerte.

•Si tiene un Juego **Alto** con (por lo menos) una ficha doble alta, puede optar por jugar conservador y:

•Tapar el número de "A" si puede mandar un número alto.

•Evitar jugar la ficha doble del número de "B" si no es alta y puede mandar un número alto.

Opción 2. Jugar la ficha doble del número de "B" (estas jugadas son seguras). Esta es una jugada muy **controvertida**. Yo prefiero jugar la ficha doble del número de "B" en la gran mayoría de los casos; incluyendo sobre la opción de buscar la Entrada del número de "A". Sin embargo, jugadores muy buenos **debatirán** esta jugada y preferirán buscar la Entrada del número de "A" en vez de jugar la ficha doble del número de "B". Los únicos casos en los que evito jugar la citada ficha doble son:

•Si la ficha doble no es alta y está apoyada (su número está en cantidad de 2), debe mandar un número fuerte alto el cual incluya a la respectiva ficha doble. Además debe tener un Juego Alto. Seguidamente se presentan 2 ejemplos.

A1 (5;5)—B1 (5;3)

Juego #1: (3;3),(3;**6**),(**6;6**),(1;**6**),(1;2),(0;2),(0;5).

La (3;3) es la ficha doble que coincide con el "tres" (el número de "B"), la misma está acompañada por la (3;6) y el "**seis**" es un número fuerte que incluye a la (6;6). Además no tiene un Juego Alto (3 bajas y 3 altas).

Se **propone** jugar la (**3;3**). Por otra parte, la (**3;6**) es una jugada conservadora pero arriesgada debido a que es más probable que no pueda jugar la doble tripa más adelante.

A1 (4;4)—B1 (4;1)

Juego #2: (0;6),(1;1),(1;5),(**5;5**),(6;**5**),(4;**5**),(4;3).

La (1;1) es la ficha doble que coincide con el "uno" (el número de "B") y la misma está acompañada por la (1;5). Además el "**cinco**" es un número fuerte que incluye a la (5;5).

Por otra parte, tiene un Juego **Alto** (4 altas, 3 bajas y el "dos" es un número fallo). Se **propone** jugar la (**1;5**) y mandar el "**cinco**". Además la (**1;1**) es una mala jugada.

•Buscar la **Entrada**, en vez de jugar la ficha doble del número de "B", si el mencionado número es bajo, tiene un Juego Malo (más de 2 fichas dobles) y la pareja va por debajo en la puntuación.

A1 (4;4)-B1 (4;1)

Juego: (1;1),(1;3),(3;3),(0;0),(0;6),(2;6),(2;4).

Tiene 2 opciones de jugada por el "uno" (el número de "B"): las (1;1) y (1;3). Además tiene 2 fichas dobles por jugar: las (3;3) y (0;0). Por otra parte, la (3;4) es la ficha mixta que produce la **Entrada** del "cuatro" (el número de "A") y no aparece en el juego. Se **propone** jugar la (**1;3**), mandar el "tres" (agresiva) y buscar la (3;4)[6].

Segunda Situación de Jugada: El set fue iniciado con una ficha mixta y los 2 números de "A" están abiertos.

Además:

•Debe evitar mandar un número no acompañado. Seguidamente se presentan 2 opciones.

---

6 Si la ficha doble del número de "B" es alta, siempre deberá jugarla (más segura). Por otra parte, si no tiene un Mal Juego, también es preferible jugar la aludida ficha doble (segura).

Opción 1. Jugar la ficha doble del otro número de "A". Además puede tener un Juego Alto y la opción de mandar un número fuerte alto el cual incluye a la respectiva ficha doble.

A1 (1;4)—B1 (4;4)

Juego: (1;1),(1;**6**),(**6;6**),(5;**6**),(2;**6**),(3;4),(3;5).

La (1;1) es la ficha doble que coincide con el "uno", el número abierto de "A" cuya ficha doble no ha sido jugada. Además el "**seis**" es un número fuerte que incluye a la (**6;6**) y tiene un Juego **Alto** (6 altas, 1 baja y el "cero" es un número fallo). Se **propone** jugar la (**1;1**) (segura). Además la (**1;6**) es una mala jugada.

Esta es su jugada **principal** y las razones de la misma son:

•Deja abiertos ambos números de "A"; y

•Evita que "D" pueda cuadrar el set.

Opción 2. Pegarle a cualquiera de los números marcados por "A" mediante una ficha mixta. A continuación se presentan 3 ejemplos.

A1 (3;6)—B1 (6;6)

Juego #1: (2;2),(6;2),(6;**0**),(3;**0**),(4;**0**),(1;5),(5;5).

El "seis" es el número de "A" cuya ficha doble fue jugada. Además sólo tiene una opción de jugada para tapar el "tres" (el otro número de "A"): la (3;0) y el "**cero**" es un número fuerte. Se **propone** jugar la (**3;0**), mandar el "**cero**" y dejar abierto el "seis" (segura) debido a que es más probable que sea fuerte (en el juego) para "A".

A1 (5;6)—B1 (6;6)

Juego #2: (6;**2**),(**2;2**),(3;**2**),(4;**2**),(5;3),(5;4),(0;1).

Las opciones de jugada son las (6;2), (5;3) y (5;4). Además puede tapar el "cinco" (el número de "A" cuya ficha doble no ha sido jugada) y tanto el "tres" como el "cuatro" son números acompañados por las (3;2) y (4;2). Por otra parte, no tiene la (2;5), la ficha mixta que produce la **Entrada** del "cinco".

Puede jugar tanto la (**5;3**) (arriesgada) y tratar de impedir que la (5;5) juegue como la (**6;2**) (segura) y buscar la (**2;5**). Además si "A" tiene la (5;5), la misma deberá estar contenida en una Manopla.

A1 (2;3)—B1 (3;3)

Juego #3: (3;5),(4;5),(3;1),(4;1),(2;0),(6;0),(6;6).

Tiene 3 opciones de jugada: las (3;5) (mala), (3;1) y la (2;0). Además el "cinco", el "uno" y el "cero" son números acompañados por las (4;5), (4;1) y (6;0).

Por otra parte, las (5;2) y (1;2) son las fichas mixtas que producen la **Entrada** del "dos"; y la (0;3) es la ficha mixta que produce la **Entrada** del "tres". Se **propone** jugar (ambas jugadas son buenas):

•La (**3;1**), mandar el "uno" (menos agresiva) y buscar la (**1;2**).

•La (**2;0**), mandar el "cero" (más agresiva) y buscar la (**0;3**).

Resumiendo, la jugada principal debe ser jugar la ficha doble del otro número marcado por "A". Además, "C" debe dejar abierto un número alto marcado por "A".

Finalmente es importante notar que si "B" pasó y tiene ambas fichas dobles, **siempre** deberá jugar una de las mismas (segura).

Tercera Situación de Jugada: El set fue iniciado con una ficha mixta. Además, tanto un número de "A" como el de "B" están abiertos debido a que "B" jugó una ficha mixta.

A continuación se presentan 3 opciones y las principales alternativas de "C" son:

•Cuadrar el set al número marcado por "A".

•Jugar la ficha doble de uno de los números abiertos.

•Pegarle al número marcado por "B" mediante una ficha mixta.

Opción 1. Cuadrar el set, mediante una ficha mixta, al número de "A". Esta es su jugada **principal** debido a que el número de "A" es jugado.

Opción 2. Jugar la ficha doble de uno de los números abiertos. Seguidamente se presentan 2 casos (A y B).

Caso A. Jugar la ficha doble del número de "B" a pesar de que pueda cuadrar el set. A continuación se presentan 3 ejemplos (estas son jugadas más seguras)[7].

A1 (4;2)—B1 (2;6)
Juego #1: (0;0),(0;3),(0;2),(4;4),(**6**;4),(**6**;**6**),(6;3).
La (6;6) es la ficha doble que coincide con el "**seis**" (el número de "B") y la (6;4) es la ficha mixta que **cuadra** el set. Además tiene un Juego **Alto** (4 altas, 3 bajas y el "uno" es un número fallo).
Se **propone** jugar la (**6;6**) debido a que el Salidor tratará de buscar un Cierre si se afirma al "cuatro" (en el caso de que "C" cuadre el set).

A1 (2;5)—B1 (5;6)
Juego #2: (6;2),(6;6),(6;3),(0;3),(**1**;**1**),(**1**;5),(**1**;0).
La (6;6) es la ficha doble que coincide con el "**seis**" (el número de "B") y la (6;2) es la ficha mixta que **cuadra** el set. Además el "dos" (el número abierto de "A") no está acompañado. Se **pro-**

7 También podrá tener la ficha doble del número abierto de "A". Además la jugada de cuadrar al número de "A" es muy arriesgada.

pone jugar la (**6;6**) debido a que es menos probable que el "dos" sea fuerte (en el juego) para "A".

A1 (2;4)—B1 (4;5)
Juego #3: (5;5),(5;2),(1;2),(1;3),(0;3),(4;6),(4;1).
La (5;5) es la ficha doble que coincide con el "cinco" (el número "B") y la (5;2) es la ficha mixta que **cuadra** el set. Se **propone** jugar la (**5;5**) debido a que es que quedará con un juego suficientemente Bueno como para ganar el set.

Resumiendo, "C" debe jugar la ficha doble del número marcado por "B" si es alta y:

•Tiene un Juego Alto.

•El número de "A" es bajo y no está acompañado.

•Es su única ficha doble por jugar.

Caso B. Jugar la ficha doble del número de "A". A continuación se presentan 2 ejemplos (estas jugadas son seguras y quedan al criterio del jugador debido a que puede decirse que se roba el set).

A1 (4;3)—B1 (3;1)
Juego #1: (4;4),(**1**;4),(**1**;5),(**1**;0),(6;0),(6;2),(3;2).
El "**uno**" (el número de "B") es fuerte y la (4;4) es la ficha doble que coincide con el "cuatro" (el número abierto de "A"). Se **propone** jugar la (**4;4**) debido a que el número de "B" es **bajo**.

A1 (2;6)—B1 (6;5)
Juego #2: (2;2),(1;2),(**5**;0),(**5**;1),(**5**;4),(**5**;3),(3;0).
El "**cinco**" (el número de "B") es fuerte en cantidad de 4 y la (2;2) es la ficha doble que coincide con el "dos" (el número abierto de "A"). Se **propone** jugar la (**2;2**) debido a que el Ahorque de la (5;5) es **imposible**.

Resumiendo, "C" debe jugar la ficha doble del número marcado por "A" si:

•Es su única por jugar y el número de "B" es fuerte.

•Deja abierto dicho número.

Finalmente, debe jugar, en la mayoría de los casos, la ficha doble del número de "B" si no tiene la ficha mixta que cuadra el set[8].

Opción 3. Tapar el número marcado por "B" mediante una ficha mixta. Seguidamente se presentan 2 ejemplos en los cuales le busca la **Entrada** a ambos números de "A"[9].

A1 (3;4)—B1 (4;2)
Juego #1: (2;1),(2;5),(3;5),(**0**;4),(**0**;3),(**0**;6),(6;6).
Tiene 2 opciones para matar el "dos" (el número de "B"): las (2;5) y (2;1). Además el "cinco" es un número acompañado por la (3;5), la ficha mixta que produce la **Entrada** del "tres" (el número **abierto** de "A"). Por otra parte, el "uno" es un número no acompañado.
Se **propone** jugar la (**2;1**) y mandar el "uno" (muy arriesgada) debido a que le busca la **Entrada** a ambos números de "A" (el Salidor puede tener un gran juego). Por otra parte, la (**2;5**) (conservadora) también es una buena jugada.

A1 (3;2)—B1 (2;6)
Juego #2: (6;**1**),(4;**1**),(3;**1**),(6;0),(0;0),(2;2),(5;2).
Tiene 2 opciones para pegarle al "seis" (el número de "B"): las (6;1) y (6;0) (ambas jugadas son buenas). Además el "**uno**" es

8 Puede tener la ficha doble del número abierto marcado por "A".
9 Sólo deberá tapar el número de "A" si está fallo al número de "B" y no tiene la ficha doble del número (abierto) de "A".

un número fuerte y el "cero" es un número acompañado por la (0;0).

Las (1;3) y (0;3) son las fichas mixtas que producen la **Entrada** del "tres" (el número abierto de "A") pero la (1;3) aparece en el juego. Por otra parle las (1;2) y (0;2) son las fichas mixtas que producen la **Entrada** del "dos" (el número tapado de "A") y ninguna aparece en el juego.

Se **propone** jugar la (**6;0**), mandar el "cero" (arriesgada) y buscar tanto la (**0;2**) como la (**0;3**). Por otra parte, la (**6;1**) es la jugada segura.

Capítulo 5: El Cuarta Mano

En este Capítulo se presentan las Situaciones de Jugada más comunes del primer turno de "D" .

•Primera Situación de Jugada. El set fue iniciado con una ficha doble. Además, tanto el número de "A" como el de "C" están abiertos y "B" no pasó.

•Segunda Situación de Jugada. El set fue iniciado con una ficha doble. Además, tanto el número de "A" como el de "B" están abiertos ("C" jugó la respectiva ficha doble).

•Tercera Situación de Jugada. El set fue iniciado con una ficha doble. Además, tanto el número de "A" como el de "C" están abiertos y "B" pasó.

•Cuarta Situación de Jugada. El set fue iniciado con una ficha doble. Además, tanto el número de "B" como el de "C" están abiertos (el número de "A" no está abierto).

Las jugadas se presentan de la siguiente manera:

•Las fichas jugadas por "A", "B" y "C".

•El juego (las 7 fichas) de "D".

•Los detalles relevantes encontrados en el juego que influyen en la jugada.

•Se propone la ficha que “D” debe jugar (nuestra opinión). Además la jugada analizada puede ser:

- Agresiva. En la misma se juega un número bajo.
- Conservadora. En la misma se juega un número alto.
- Mala. No debe ser empleada / aplicada.

•La(s) razón(es) particular(es) de la jugada.

Finalmente es importante señalar los siguientes puntos:

•“D” debe pegarle al número de “A” y evitar pescar (en casos excepcionales lo hará). De aquí surge el refrán “A la Salida matarás aunque te den por detrás”.

•Las opciones de jugada serán subrayadas.

•Habrá casos en los cuales se analizará el riesgo de una jugada.

•“D” debe aplicar estas jugadas en sus siguientes turnos.

Primera Situación de Jugada: El set fue iniciado con una ficha doble. Además, tanto el número de “A” como el de “C” están abiertos y “B” no pasó. Por otra parte, “B” jugó una ficha mixta y “C” jugó otra ficha mixta la cual tapó el número de “B”[1].

Es importante destacar que todas estas opciones también deber ser aplicadas en la Salida Mixta en la cual tanto un número de ”A” como el número de “C” están abiertos. Seguidamente se presentan 3 opciones. Además, las principales alternativas de “D” son:

•Cuadrar el set.

•Jugar la ficha doble del número marcado por “C”.

1 Se asumirá que "B" sólo tuvo una opción de jugada (jugó forzado).

•Pegarle al número marcado por "A" mediante una ficha mixta.

Opción 1. Cuadrar el set mediante una ficha mixta. A continuación se presentan 2 casos (A y B).

Caso A. Cuadrar al número de "C". A continuación se presentan 7 ejemplos.

A1 (2;2)—B1 (2;4)—C1 (4;3)

Juego #1: (2;1),(2;**3**),(**3**;**3**),(0;**3**),(6;**3**),(6;0),(5;0).

La (2;3) es la ficha mixta que **cuadra** el set. Además el "**tres**" (el número de "C") es fuerte en cantidad de 4 e incluye a la (3;3). Se **propone** jugar la (**2;3**) y cuadrar al "**tres**" (agresiva).

A1 (4;4)—B1 (4;3)—C1 (3;1)

Juego #2: (**1**;**1**),(6;**1**),(**4**;**1**),(**4**;0),(**4**;5),(5;5),(*3;3*).

La (4;1) es la ficha mixta que **cuadra** el set y el "**uno**" (el número de "C") incluye a la (1;1). Además tiene 2 fichas dobles más por jugar: las (5;5) y (3;3); y el "**cuatro**" (el número de "A") también es fuerte.

Se **propone** jugar la (**4;1**) y cuadrar al "**uno**" (agresiva) debido a que la posibilidad de que pueda ganar el set es **mínima**. Por otra parte, la (**1;1**) es una mala jugada y la jugada de **cuadrar** al "**cuatro**" (conservadora) también es buena.

A1 (1;1)—B1 (1;6)—C1 (6;5)

Juego #3: (**5**;3),(**5**;4),(**5**;0),(**5**;**1**),(3;**1**),(4;**1**),(2;**1**).

La (1;5) es la ficha mixta que **cuadra** el set y tanto el "**uno**" (el número de "A") como el "**cinco**" (el número de "C") son fuertes (en cantidad de 4). Se **propone** jugar la (**1;5**) y cuadrar al "**cinco**" (conservadora). Además la jugada de **cuadrar** al "**uno**" (agresiva) también es buena.

A1 (5;5)—B1 (5;6)—C1 (6;0)

Juego #4: (**5**;1),(**5**;3),(**5;0**),(4;**0**),(6;**0**),(3;2),(1;2).

La (0;5) es la ficha mixta que **cuadra** el set y tanto el "**cinco**" (el número de "A") como el "**cero**" (el número de "C") son fuertes. Se **propone** jugar la (**5;0**) y **cuadrar** al "**cero**" (agresiva) debido a que tiene una mejor oportunidad de jugarlo. Además la jugada de **cuadrar** al "**cinco**" (conservadora) también es buena.

A1 (1;1)—B1 (1;2)—C1 (2;4)

Juego #5: (3;4),(**1**;4),(**1**;0),(**1**;6),(6;6),(2;2),(5;2).

La (1;4) es la ficha mixta que **cuadra** el set y el "**uno**" (el número de "A") es fuerte. Además el "cuatro" (el número de "C") está acompañado por la (3;4) y tiene 2 fichas dobles por jugar: las (6;6) y (2;2).

Se **propone** jugar la (**1;4**) y cuadrar al "cuatro" (conservadora). Además la jugada de **cuadrar** al "**uno**" (agresiva) es mala.

A1 (0;0)—B1 (0;3)—C1 (3;5)

Juego #6: (0;**2**),(**2;2**),(6;**2**),(0;5),(4;5),(4;1),(1;1).

La (0;5) es la ficha mixta que **cuadra** el set y el "**dos**" es un número fuerte que incluye a la (2;2). Además el "cinco" (el número de "C") está acompañado por la (4;5) y tiene otra ficha doble por jugar: la (0;0).

Se **propone** jugar la (**0;5**) y cuadrar al "cinco" (conservadora). Además la (**0;2**) (agresiva) también es una buena jugada.

A1 (4;4)—B1 (4;6)—C1 (6;2)

Juego #7: (4;2),(0;2),(4;5),(5;5),(3;6),(1;6),(1;1).

La (4;2) es la ficha mixta que **cuadra** el set, el "dos" (el número de "C") está acompañado por la (0;2) y no tiene ningún número fuerte. Se **propone** jugar la (**4;5**) y mandar al "cinco" (conservadora). Por otra parte, la jugada de **cuadrar** al "dos" es demasiado arriesgada.

Resumiendo, “D” debe cuadrar el set con el objetivo de tratar de pasar a “A”. Además, si el número de “C” está apoyado, el Ahorque de su ficha doble puede ser posible si “A” y “B” lo tapan en su segundo turno.

Caso B. Cuadrar al número de “A” si es fuerte. Además puede tener la ficha doble del número bajo de “C”, el cual debe estar apoyado.

A1 (3;3)—B1 (3;4)—C1 (4;5)

Juego: (5;6),(5;**3**),(1;**3**),(2;**3**),(0;2),(0;4),(1;4).

La (3;5) es la ficha mixta que **cuadra** el set y el “**tres**” (el número de “A”) es fuerte. Se **propone** jugar la (**5;3**) y cuadrar al “**tres**” (agresiva) debido a que tiene, por lo menos, un juego moderadamente Bueno como para ganar el set.

Resumiendo, “D” debe cuadrar el set al:

- Número marcado por “C” si:
  - Es fuerte.
  - Está en cantidad de 2 y es alto.
- Número marcado por “A” si es fuerte, está en mayor cantidad que el de “C”, y:
  - Tiene, a lo más, una ficha doble por jugar.
  - Es alto.

Opción 2. Jugar la ficha doble del número de “C” si puede ser ahorcada (el número de “C” no debe ser fuerte en cantidad de 4 ó más) Seguidamente se presentan 2 casos (A, B y C).

Caso A. Tiene la ficha mixta que cuadra el set.

La razón de estas jugadas es que puede **proteger** a "B" debido a que "A" no puede cuadrar el set. A continuación se presentan 3 ejemplos (estas jugadas son seguras).

A1 (4;4)—B1 (4;3)—C1 (3;5)

Juego #1: (**5;5**),(2;**5**),(4;**5**),(3;3),(1;3),(1;1),(0;2).

La (4;5) es la ficha mixta que **cuadra** el set, el "**cinco**" (el número de "C") incluye a la (5;5) y tiene 2 fichas dobles más por jugar: las (3;3) y (1;1). Se **propone** jugar la (**5;5**) (más segura). Además la jugada de **cuadrar** al "**cinco**" es demasiado arriesgada.

A1 (4;4)—B1 (4;0)—C1 (0;3)

Juego #2: (**3;3**),(5;**3**),(4;**3**),(**4**;6),(**4**;0),(2;0),(2;1).

La (3;4) es la ficha mixta que **cuadra** el set y el "**tres**" (el número de "C") incluye a la (3;3). Además el "**cuatro**" (el número de "A") también es fuerte. Se **propone** jugar la (**3;3**) debido a que queda con, por lo menos, un juego moderadamente Bueno como para ganar el set.

A1 (5;5)—B1 (5;3)—C1 (3;2)

Juego #3: (5;2),(2;2),(5;1),(**4**;3),(**4;4**),(**4**;0),(0;0).

La (5;2) es la ficha mixta que **cuadra** el set, el "dos" (el número de "C") incluye a la (2;2) y tiene 2 fichas dobles más por jugar: las (4;4) y (0;0). Se **propone** jugar la (**2;2**) (más segura). Además, la jugada de **cuadrar** al "dos" es demasiado arriesgada.

Caso B. No tiene la ficha mixta que cuadra el set ("A" puede tener la oportunidad de cuadrar). A continuación se presentan 3 ejemplos (estas jugadas son arriesgadas y quedan al criterio del jugador debido a que puede decirse que se **roba** el set).

A1 (2;2)—B1 (2;5)—C1 (5;6)

Juego #1: (6;6),(6;1),(3;2),(4;2),(0;2),(0;1),(5;1).

No tiene la (2;6) (la ficha mixta que **cuadra** el set) y la (6;6) es la ficha doble que coincide con el "seis" (el número de "C"). Además el "**dos**" (el número de "A") es fuerte. Se **propone** jugar la (**6;6**) debido a que puede jugar el "**dos**".

A1 (6;6)—B1 (6;1)—C1 (1;2)

Juego #2: (0;2),(5;2),(2;2),(6;3),(4;3),(4;1),(5;1).

No tiene la (2;6) (la ficha mixta que **cuadra** el set). Además el "**dos**" (el número de "C") es fuerte en cantidad de 3 e incluye a la (2;2). Se **propone** jugar la (**2;2**) debido a que puede jugar el "**dos**".

A1 (3;3)—B1 (3;2)—C1 (2;5)

Juego #3: (5;5),(1;5),(1;4),(3;4),(3;6),(0;6),(0;4).

No tiene la (5;3) (la ficha mixta que **cuadra** el set) y el "cinco" (el número de "C") está en cantidad de 2: las (5;5) y (1;5). Se **propone** jugar la (**5;5**) debido a que bota puntos y no quedará fallo al número de "C".

Resumiendo, "D" debe jugar la ficha doble del número marcado por "C" debido a que quedará con un juego lo suficientemente bueno como para ganar el set.

Caso C. Está fallo al número de "A". Debe jugar la ficha doble si:

- El número de "C" es bajo y fuerte.

A1 (4;4)—B1 (4;1)—C1 (1;3)

Juego: (0;2),(2;2),(5;2),(5;3),(**3;3**),(6;3),(6;1).

Está fallo al "cuatro" (el número de "A") y no tiene ningún número fuerte alto. Además el "**tres**" (el número de "C") es fuerte e incluye a la (3;3). Se **propone** jugar la (**3;3**) (arriesgada).

Por otra parte, tanto la (**3;5**) como la (**3;6**) (conservadoras) también son buenas jugadas debido a que el "cinco" y el "seis" están apoyados.

•El número de "C" es alto.

Resumiendo, "D" debe jugar la ficha doble del número de "C" si:

•Tiene la ficha mixta que cuadra el set.

•No tiene la ficha mixta que cuadra el set y es su única ficha doble por jugar.

Opción 3. Tapar el número de "A" mediante una ficha mixta (si puede cuadrar el set, dicha opción será una jugada muy arriesgada y la misma quedará al criterio del jugador).

A1 (6;6)—B1 (6;2)—C1 (2;3)
Juego: (6;5),(3;5),(0;5),(6;3),(0;2),(4;2),(4;1).
La (6;3) (arriesgada) es la ficha mixta que **cuadra** el set y el "**cinco**" es fuerte. Se **propone** jugar la (**6;5**) y mandar el "**cinco**".

Es importante notar que todas estas jugadas también deben ser aplicadas en:

•La Salida Doble en la cual el número de "B" está abierto ("C" jugó la respectiva ficha doble).

•La Salida Doble en la cual el número de "A" no está abierto ("C" lo tapó).

•La Salida Mixta en la cual los 2 números de "A" están abiertos ("B" y "C" jugaron las respectivas fichas dobles).

Seguidamente se presentan 4 casos (A, B, C y D) los cuales están en orden de importancia y pueden ser combinados. Además, las principales alternativas de "D" son:

•Buscarle las fichas dobles altas a "B".

•Jugar el número de "C" si es fuerte.

•Buscar la Entrada del número marcado por "B".

•Abrirle el set a "B" y evitar pescar el número de "A".

Caso A. Mandar un número alto (fuerte o apoyado) si no incluye a la respectiva ficha doble. Además, el mismo debe ser mayor que el marcado por "A". A continuación se presentan 2 ejemplos.

A1 (3;3)—B1 (3;4)—C1 (4;5)

Juego #1: (3;6),(1;6),(3;2),(2;2),(**0**;1),(**0**;4),(**0**;5).

Tiene 2 opciones de jugada para matar el "tres" (el número de "A"): las (3;6) y (3;2). Además tanto el "seis" como el "dos" son números acompañados por las (1;6) y (2;2). Por otra parte, el "seis" es mayor que el "tres".

Se **propone** jugar la (**3;6**), mandar el "seis" (conservadora) y buscar la (**6;6**). Por otra parte, la (**3;2**) (agresiva y primordial) es una jugada demasiado arriesgada.

A1 (2;2)—B1 (2;5)—C1 (5;0)

Juego #2: (2;**1**),(0;**1**),(3;**1**),(6;**1**),(2;*4*),(5;*4*),(6;*4*).

Tiene 2 opciones de jugada para tapar el "dos" (el número de "A"): las (2;1) y (2;4). Además el "**uno**" es un número fuerte y el "*cuatro*" es un segundo número fuerte el cual es mayor que el "dos".

Se **propone** jugar la (**2;4**), mandar el "*cuatro*" (conservadora) y buscar la (**4;4**). Por otra parte, la (**2;1**) (agresiva) también es una buena jugada.

Resumiendo, "D" le busca la ficha doble alta a "B" debido a que:

•Debe jugar conservador debido a que la pareja no tiene el control del set.

•Debe brindarle la oportunidad a "B" de jugarla debido a que es muy improbable que "A" la tenga.

Además es importante destacar los siguientes puntos:

•Debe tener (preferiblemente) opciones de jugada similares (puede mandar números fuertes o en cantidad de 2).

•Debe repetir o dejar abierto este número (en sus siguientes turnos) si "A" le pegó.

Caso B. Dejar abierto el número de "C" si es fuerte. A continuación se presentan 3 ejemplos.

A1 (3;3)—B1 (3;5)—C1 (5;2)

Juego #1: (5;**4**),(3;**4**),(**2**;**4**),(**2**;**0**),(**2**;6),(3;**0**),(6;**0**).

El "**dos**" (el número de "C") es fuerte y tiene 2 opciones de jugada para tapar el "tres" (el número de "A"): las (3;4) y (3;0). Además tanto el "**cuatro**" como el "**cero**" son otros números fuertes pero sólo el "**cuatro**" es mayor que el "tres".

Se **propone** jugar la (**3;4**), mandar el "**cuatro**" (conservadora), buscar la (**4;4**) y dejar **abierto** el "**dos**". Por otra parte, la (**3;0**) (agresiva) también es una buena jugada.

A1 (6;6)—B1 (6;2)—C1 (2;3)

Juego #2: (6;5),(0;5),(0;4),(**3**;4),(**3**;**3**),(**3**;1),(1;1).

El "**tres**" (el número de "C") es fuerte e incluye a la (3;3) (mala). Además sólo tiene una opción de jugada para tapar el "seis" (el número de "A"): la (6;5) y otra ficha doble por jugar: la (1;1). Se

propone jugar la (**6;5**), mandar el "cinco" (conservadora) y dejar **abierto** el "**tres**".

A1 (4;4)—B1 (4;6)—C1 (6;3)

Juego #3: (1;**4**),(**5;4**),(2;**4**),(2;**3**),(0;**3**),(**5;3**),(**5**;1).

Tanto el "**cuatro**" (el número de "A") como el "**tres**" (el número de "C") son fuertes. Se **propone** jugar la (**4;5**), mandar el "**cinco**" (conservadora) y dejar **abierto** el "**tres**". Además evita pescar el "**cuatro**"

Resumiendo, "D" debe dejar abierto el número de "C" debido a que es fuerte.

Caso C. Marcar un número bajo que pueda producir la **Entrada** del número de "B". Además, es importante señalar los siguientes puntos:

•Debe tener (preferiblemente) opciones de jugada similares (puede mandar números fuertes o en cantidad de 2).

•Estas jugadas son agresivas.

•Esta jugada debe aplicarse con otros números mandados por "B". Además "B" también puede aplicarla con los números mandados por "D".

A1 (6;6)—B1 (6;1)—C1 (1;1)

Juego: (6;*2*),(4;*2*),(**3**;*2*),(6;**3**),(1;**3**),(0;**3**),(1;5).

Tiene 2 opciones de jugada para matar el "seis" (el número de "A"): las (6;3) y (6;2). Además el "**tres**" es un número fuerte pero incluye a la (3;1) y el "*dos*" es un segundo número fuerte.

La (2;1) es la ficha mixta que produce la **Entrada** del "uno" (el número de "B") y no aparece en el juego. Se **propone** jugar la (**6;2**), mandar el "*dos*" y buscar la (**2;1**). Además la (**6;3**) (segura) también es una buena jugada. Sin embargo, es más probable que "B" esté fallo al "**tres**".

Caso D. Dejar abierto el número de "C" si tiene 2 opciones para mandar un determinado número y, por lo menos, 2 opciones de jugada por el número de "A". Por otra parte, el número de "C" no debe ser fuerte. Seguidamente se presentan 3 ejemplos.

A1 (4;4)—B1 (4;2)—C1 (2;5)

Juego #1: (5;**3**),(0;**3**),(4;**3**),(5;2),(6;2),(4;1),(0;1).

El "**tres**" es un número fuerte que tiene 2 opciones de ser marcado: las (5;3) y (4,3); y no tiene ninguna ficha doble por jugar. Se **propone** jugar la (**4;3**) y mandar el "**tres**" (segura) debido a que "B" puede tener la (5;5). Además la (**5;3**) (arriesgada) también es una buena jugada.

A1 (3;3)—B1 (3;4)—C1 (4;1)

Juego #2: (**3**;6),(1;6),(5;4),(**3;0**),(1;**0**),(2;**0**),(**3**;2).

El "**tres**" (el número de "A") es fuerte. Además el "**cero**" es otro número fuerte y tiene 2 opciones de ser marcado: las (1;0) y (3;0). Se **propone** jugar la (**3;0**) y mandar el "**cero**" (segura) y evitar pescar el "**tres**". Además la (**1;0**) (arriesgada) también es una buena jugada debido a que no quedará fallo al "uno" (el número de "C").

A1 (5;5)—B1 (5;2)—C1 (2;4)

Juego #3: (**5;6**),(0;**6**),(3;**6**),(4;**1**),(2;**1**),(**5;1**),(**5**;0).

El "**cinco**" (el número de "A") es fuerte. Además tanto el "**uno**" como el "**seis**" son otros números fuertes. Por otra parte, el "**seis**" es mayor que el "**cinco**" y el "**uno**" tiene 2 opciones de ser marcado: las (4;1) y (5;1).

Se **propone** jugar la (**5;6**), mandar el "**seis**" (conservadora) y buscar la (**6;6**). Además la (**5;1**) (agresiva) también es una buena jugada.

Resumiendo, “D” debe pegarle al número de “A” debido a que le abre el set a “B” y evita cualquier posibilidad de que pase. Además evita pescar y puede volver a taparlo.

“D” puede jugar por el número de “C” (opcional):

•No puede volver a tapar el número de “A” (evita quedar fallo al mismo). Además, evita una jugada de Cuadre y puede **proteger** a “B”. Por otra parte, existe la posibilidad de que “A” pudiese estar fallo al número que marca. Por lo tanto, “A” le puede pegar al número de la Salida en su segundo turno.

•Tiene un Juego Alto y puede jugar conservador.

Tercera Situación de Jugada: El set fue iniciado con una ficha doble. Además, tanto el número de “A” como el de “C” están abiertos y “B” pasó. Por otra parte, “C” jugó una ficha mixta[2].

Seguidamente se presentan 2 opciones. Además, las principales alternativas de “D” son:

•Jugar la ficha doble del número marcado por “C”.

•Tapar cualquiera de los números marcados mediante una ficha mixta.

Opción 1. Jugar la ficha doble del número de “C” si puede ser ahorcada (el número de “C” no debe ser fuerte en cantidad de 4 ó más).

Esta es su jugada **principal** debido a que evita que “A” pueda cuadrar el set. A continuación se presentan 2 ejemplos[3].

2 "D" tiene el control relativo de la pareja.

3 Es preferible que mande un número fuerte alto si el mismo incluye a la ficha doble (primordial) como se analizó en el Capítulo del Segunda Mano.

A1 (2;2)—C1 (2;5)

Juego #1: (5;5),(5;4),(0;4),(0;6),(2;6),(2;3),(4;3).

La (5;5) coincide con el "cinco" (el número de "C") y está acompañada por la (5;4). Se **propone** jugar la (**5;5**) (segura) debido a que bota puntos.

A1 (4;4)—C1 (4;0)

Juego #2: (0;0),(0;5),(4;6),(1;**6**),(**2;6**),(4;2),(5;2).

La (0;0) coincide con el "cero" (el número de "C") y está acompañada por la (0;5). Además no tiene ninguna otra ficha doble por jugar. Se **propone** jugar la (**0;0**). Por otra parte, tanto la (**4;6**) (conservadora) como la (**4;2**) (agresiva) también son buenas jugadas (arriesgadas) debido a que está marcando un número fuerte.

Resumiendo, "D" debe jugar la ficha doble del número marcado por "C" si:

- Es alta.
- No tiene un Juego Malo (a lo más 2 fichas dobles por jugar), la mencionada ficha doble no es alta y está, por lo menos apoyada, debido a que:
  - Quedará con, por lo menos, un juego moderadamente Bueno como para ganar el set.
  - No quedará fallo al número de "C".

Opción 2. Tapar a cualquiera de los números abiertos mediante una ficha mixta. Además es importante destacar los siguientes puntos:

- Debe pegarle al número de "C" si el número de "A" es fuerte en cantidad de 4 ó más.

•Debe matar el número de "A" si el número de "C" es fuerte (tiene, por lo menos, 3 fichas mixtas).

A continuación se presentan 12 ejemplos.

A1 (4;4)—C1 (4;2)

Juego #1: (2;2),(2;5),(4;5),(4;3),(3;3),(0;6),(6;6).

La (2;2) (mala) coincide con el "dos" (el número de "C"). Además tiene 2 fichas dobles más por jugar: las (3;3) y (6;6).

Se **propone** jugar la (**4;5**) y mandar el "cinco" (conservadora) debido a que abre el set a "B" de forma que evita cualquier posibilidad de que vuelva a pasar. Además la probabilidad de que pueda ganar el set **mínima** y evita pescar.

A1 (5;5)—C1 (5;3)

Juego #2: (3;6),(3;**1**),(5;4),(5;**1**),(0;**1**),(4;**1**),(6;2).

Las opciones de jugada son: las (3;6) (mala), (3;1), (5;4) (mala) y (5;1). Además el "**uno**" es un número fuerte que tiene 2 opciones de ser marcado.

Se **propone** jugar la (**3;1**) y mandar el "**uno**" (arriesgada y opta por **pescar** el número de "A") debido a que: a) "B" puede tener un Juego **Bajo** (está fallo al "cinco"); y b) Tiene un juego suficientemente Bueno como para ganar el set (ninguna ficha doble). Por otra parte, la (**5;1**) (segura) también es una buena jugada.

A1 (1;1)—C1 (1;0)

Juego #3: (1;**5**),(1;6),(0;**5**),(0;4),(3;**5**),(3;2),(6;2).

Las opciones de jugada son: las (1;5), (1;6) (mala), (0;5) y (0;4) (mala). Además el "**cinco**" es un número fuerte que tiene 2 opciones de ser marcado.

Se **propone** jugar la (**1;5**) y mandar el "**cinco**" (segura y le abre el set a "B") debido a que "B" puede tener un Juego **Alto** (está fallo al "uno"). Por otra parte, la (**0;5**) (arriesgada) también es una buena jugada.

A1 (2;2)—C1 (2;4)

Juego #4: (4;**3**),(6;**3**),(**3;3**),(4;1),(2;1),(5;5),(0;5).

El "**tres**" es un número fuerte que incluye a la (3;3) y sólo puede marcarlo mediante la (4;3) (primordial pero arriesgada). Además el "uno" es el número (en cantidad de 2) que tiene 2 opciones de ser marcado: las (4;1) y (2;1).

Tiene otra ficha doble por jugar: la (5;5) y el "dos" (el número de "A") no está acompañado. Se **propone** jugar la (**4;1**) y mandar el "uno" (segura) debido a que: a) No tiene, por lo menos, un juego moderadamente Bueno como para ganar el set; y b) Evita quedar fallo al número de "A".

A1 (6;6)—C1 (6;2)

Juego #5: (2;0),(2;**5**),(**5;5**),(4;**5**),(6;0),(1;3),(3;3).

El "**cinco**" es un número fuerte que incluye a la (5;5) y sólo puede marcarlo mediante la (2;5). Además el "cero" es el número (en cantidad de 2) que tiene 2 opciones de ser marcado: las (6;0) y (2;0) (agresivas).

Por otra parte, tiene otra ficha doble por jugar: la (3;3). Se **propone** jugar la (**2;5**) y mandar el "**cinco**" (conservadora y primordial).

A1 (6;6)—C1 (6;3)

Juego #6: (6;4),(**2**;4),(**2;2**),(**2**;1),(**2**;*3*),(0;*3*),(5;*3*).

El "*tres*" (el número de "C") es un segundo fuerte y el "**dos**" es un número fuerte. Se **propone** jugar la (**3;2**) y mandar el "**dos**".

A1 (6;6)—C1 (6;2)

Juego #7: (2;3),(*6*;3),(*6*;1),(*6*;**5**),(0;**5**),(1;**5**),(4;**5**).

El "*seis*" (el número de "A") es un segundo fuerte y el "**cinco**" es un número fuerte. Se **propone** jugar la (**6;5**) y mandar el "**cinco**".

A1 (2;2)—C1 (2;4)

Juego #8: (4;**1**),(6;**1**),(**5**;**1**),(0;**1**),(2;**5**),(3;**5**),(6;**5**).

Las opciones de jugada son las (4;1) y (2;5) (mala); y tanto el "**uno**" como el "**cinco**" son números fuertes. Se **propone** jugar la (**4;1**) y mandar el "**uno**" (segura) debido a que evita quedar fallo al "dos" (el número de "A").

A1 (6;6)—C1 (6;5)

Juego #9: (5;3),(3;3),(5;1),(0;1),(6;**4**),(2;**4**),(0;**4**).

Sólo tiene una opción de jugada para tapar el "seis" (el número de "A"): la (6;4) y el "**cuatro**" es un número fuerte. Se **propone** jugar la (**6;4**) y mandar el "**cuatro**".

A1 (0;0)— (0;5)

Juego #10: (5;3),(**0**;6),(**0**;3),(**0**;**2**),(4;**2**),(**2**;**2**),(1;6).

El "**cero**" (el número de "A") es fuerte y el "**dos**" es otro número fuerte. Se **propone** jugar la (**0;2**) y mandar el "**dos**" (primordial).

A1 (1;1)—C1 (1;4)

Juego #11: (4;**0**),(6;**0**),(3;**0**),(1;2),(2;2),(1;6),(5;6).

Las opciones de jugada son las (4;0), (1;2) (mala) y (1;6). Además el "**cero**" es un número fuerte y el "seis" es un número acompañado por la (5;6). Se **propone** jugar la (**1;6**) y mandar el "seis" (segura) debido a que juega conservador. Por otra parte, la (**4;0**) (arriesgada) también es una buena jugada.

A1 (2;2)—C1 (2;4)

Juego #12: (2;6),(1;6),(1;3),(4;**5**),(**5**;**5**),(0;**5**),(0;0).

Las opciones de jugada son las (2;6) y (4;5) (ambas jugadas son buenas). Además el "**cinco**" es un número fuerte que incluye a la (5;5) y tiene otra ficha doble por jugar: la (0;0). Puede jugar tanto la (**2;6**) (segura) como la (**4;5**) (arriesgada y primordial).

Resumiendo, "D" debe realizar cualquiera de las siguientes jugadas:

•Tapar el número marcado por "A" y evitar jugar la ficha doble del número marcado por "C" si no es alta. Además debe tener un Mal Juego (más de 2 fichas dobles).

•Marcar un número fuerte en cantidad de 4 ó más al jugar por cualquiera de los 2 números abiertos.

•Marcar un número fuerte al jugar por cualquiera de los 2 números abiertos si tiene un juego suficientemente bueno como para ganar el set (a lo más una ficha doble por jugar).

Cuarta Situación de Jugada: El set fue iniciado con una ficha doble. Además, tanto el número de "B" como el de "C" están abiertos debido a que "B" jugó una ficha mixta y "C" jugó otra ficha mixta la cual tapó el número "A". Por otra parte:

•Es muy probable, pero no seguro, que el número marcado por "B" sea fuerte (en el juego) para "B".

•Existe la posibilidad de que "C" se halla **robado** el set.

•Las opciones que serán descritas también deben ser aplicadas en la Salida Mixta.

•Seguidamente se presentan 3 opciones. Además las principales alternativas de "D" son:

•Cuadrar el set al número marcado por "B".

•Jugar la ficha doble de uno de los números abiertos.

•Pegarle al número marcado por "C" mediante una ficha mixta.

Opción 1. Cuadrar el set, mediante una ficha mixta, al número de "B". Esta es su jugada **principal** debido a que el número de "B" es jugado.

Opción 2. Jugar la ficha doble de uno de los números abiertos. Seguidamente se presentan 2 casos (A y B).

Caso A. Jugar la ficha doble del número marcado por "C" a pesar de que pueda cuadrar el set. A continuación se presentan 3 ejemplos (estas jugadas son seguras)[4].

C1 (2;3)—A1 (3;3)—B1 (3;6)
Juego #1: (**2;2**),(**2**;1),(**2**;6),(4;6),(4;0),(5;0),(5;3).
La (2;2) (arriesgada) coincide con el "**dos**" (el número de "C") y la (2;6) es la ficha mixta que **cuadra** el set. Se **propone** jugar la (**2;6**) y cuadrar al "seis" (segura) debido a que busca la (**6;6**).

C1 (5;1)—A1 (1;1)—B1 (1;4)
Juego #2: (5;5),(4;5),(4;**2**),(1;**2**),(0;**2**),(0;6),(1;6).
La (5;5) coincide con el "cinco" (el número de "C") y la (5;4) (arriesgada) es la ficha mixta que **cuadra** el set. Se **propone** jugar la (**5;5**) (segura) debido a que bota puntos.

C1 (5;3)—A1 (3;3)—B1 (3;2)
Juego #3: (5;4),(**5**;0),(**5;5**),(**5**;2),(6;6),(6;3),(1;3).
La (5;5) coincide con el "**cinco**" (el número de "C"), la (5;2) es la ficha mixta que **cuadra** el set y la (6;6) es otra ficha doble por jugar. Además tiene un Juego **Alto** (5 altas y 2 bajas).

---

4 También podrá tener la ficha doble del número de "B". Además la jugada de cuadrar al número de "B" es, generalmente, muy arriesgada.

Se **propone** jugar la (**5;5**) debido a que el Segunda Mano tratará de buscar un Cierre si se afirma al "dos" (en el caso de que "D" cuadre el set).

Caso B. Jugar la ficha doble del número de "B" si es su única por jugar y el número de "C" es fuerte en cantidad de 4.

C1 (1;3)—A1 (3;3)—B1 (3;6)

Juego: (**1**;0),(**1**;2),(**1**;4),(**1**;6),(6;6),(4;3),(2;3).

La (6;6) coincide con el "seis" (el número de "B") y el "**uno**" (el número de "C") es fuerte. Se **propone** jugar la (**6;6**) (segura) debido a que: a) Queda con un juego suficientemente Bueno como para ganar el set; y b) Tiene una excelente oportunidad de jugar el número de "C".

Resumiendo, "D" debe jugar la ficha doble del:

- Número marcado por "C" si:
  - La aludida ficha doble es su única por jugar.
  - Tiene un Juego Alto.
- Número marcado por "B" si es su única por jugar y el número de "C" es fuerte en cantidad de 4.

Finalmente es importante señalar que "D" deberá dejar abierto el número de "B" y:

- Jugar la ficha doble del número de "C" a pesar de que su Ahorque sea imposible[5].
- Jugar la ficha doble del número de "B" si está fallo al número de "C".

---

5 Si tiene un juego lo suficientemente Bueno como para ganar el set (ninguna otra ficha doble), puede **robárselo**.

Opción 3. Tapar el número marcado por "C" mediante una ficha mixta. Seguidamente se presentan 2 ejemplos en los cuales le busca la **Entrada** al número de "B"[6].

C1 (5;3)— A1 (3;3)—B1 (3;1)

Juego #1: (1;1),(1;**4**),(3;**4**),(**4**;**4**),(*5;2*),(6;0),(6;3).

Sólo tiene una opción de jugada para tapar el "cinco" (el número de "C"): la (*5;2*) (una ficha mixta no acompañada). Además la (1;1) es la ficha doble que coincide con el "uno" (el número de "B").

Se **propone** jugar la (**5;2**) y mandar el "dos" (muy arriesgada) debido a que: a) Es muy probable que pueda volver a tener la oportunidad de jugar la ficha doble del número de "B"; y b) Buscarle la **Entrada** al número de "B". Por otra parte, "**corretea**" a la (5;5). Además la (**1;1**) (segura) también es una buena jugada.

C1 (3;4)—A1 (4;4)—B1 (4;1)

Juego #2: (**3**;0),(0;0),(**3**;**5**),(**5**;**5**),(1;**5**),(**3**;6),(1;1).

Tiene 3 opciones de jugada para tapar el "tres" (el número de "C"): las (3;5) (mala), (3;0) (arriesgada) y (3;6). Además el "**cinco**" es un número fuerte que incluye tanto a la (5;5) como a la (5;1), el "cero" es un número acompañado por la (0;0) y el "seis" es un número no acompañado.

Se **propone** jugar (preferiblemente) la (**3;6**) y **mandar** el "seis" (muy arriesgada) debido a que "**muerde**" a la (3;3).

Opciones para las Salidas Mixtas. Seguidamente se presentan 5 Opciones.

---

6 Sólo debe tapar el número de "B" si está fallo al número de "C" y no tiene la ficha doble del número (abierto) de "B". Además habrá situaciones muy especiales en las cuales el jugador, de acuerdo a su criterio, puede optar por jugar la ficha doble del número de "B".

Opción 1. Jugar la ficha doble de un número abierto ("A" ó "C") si es alta y puede ser ahorcada (más segura) debido a que es muy **improbable** que la pareja pueda ganar el set.

Opción 2. Jugar la ficha doble de un número abierto ("A" ó "C") si no es alta y no tiene más fichas dobles por jugar (segura). Si tiene más fichas dobles, la jugada quedará al criterio del jugador. Seguidamente se presentan 3 ejemplos.

A1 (1;6)—B1 (6;3)—C1 (3;3)

Juego #1: (**1;1**),(**1**;0),(**1;4**),(3;**4**),(6;**4**),(5;5),(2;5).

No tiene la (3;1) (la ficha mixta que **cuadra** el set), la (1;1) coincide con el "**uno**" (el número abierto de "A") y tiene otra ficha doble por jugar: la (5;5). Se **propone** jugar jugar la (**1;1**) (segura) debido a que puede jugarlo. Además la (**1;4**) (conservadora pero arriesgada) también es una buena jugada debido a que el "**cuatro**" es un número fuerte.

B1 (3;3)—A1 (3;2)

Juego #2: (**2;2**),(5;2),(**6;2**),(**6;6**),(**6**;3),(0;4),(4;4).

El "**dos**" (un número abierto de "A") es fuerte e incluye a la (2;2) (mala). Además el "**seis**" es otro número fuerte y tiene 2 opciones para mandarlo: las (2;6) y (3;6). Por otra parte, tiene otra ficha doble por jugar: la (4;4). Se **propone** jugar la (**2;6**) y mandar el "**seis**" (conservadora y primordial) debido a que evita quedar fallo al "tres".

C1 (0;2)—A1 (2;3)—B1 (3;3)

Juego #3: (*0;0*),(**3**;5),(**3**;4),(**3**;1),(6;1),(6;5),(2;4).

La (*0;0*) (mala), una ficha doble no acompañada, coincide con el "cero" (el número de "C"). Además el "**tres**" (el número abierto de "A") es fuerte y no tiene ninguna otra ficha doble por jugar. Se **propone** jugar la (**3;5**) y mandar el "cinco" (más conservadora).

Opción 3. Si tanto "B" como "C" jugaron fichas mixtas debe mandar (o jugar), por segunda vez, el número de "B" si es alto (conservadora y segura). A continuación se presentan 2 casos (A y B).

Caso A. El número de "B" está, por lo menos, apoyado. Además puede tener la opción de mandar un número fuerte, el cual puede ser alto, en cantidad de 4 ó 5.

A1 (2;3)—B1 (3;4)—C1 (4;6)
Juego: (2;4),(1;4),(0;6),**(5;5)**,(2,5),(0;5),(1;5).
El "cuatro" (el número tapado de "B") está en cantidad de 2: las (2;4) y (1;4). Además el "**cinco**" es un número fuerte en cantidad de 4. Se **propone** jugar jugar la (**2;4**) y mandar el "cuatro" debido a que es más probable que sea fuerte (en el juego) para "B". Por otra parte, la (**2;5**) (arriesgada) también es una buena jugada.

Caso B. El número de "B" no está acompañado. Además es importante destacar los siguientes puntos:

•Podrá evitar mandar un número fuerte alto en cantidad de 3 (arriesgada). Si el número fuerte está en mayor cantidad, es preferible que lo mande debido a que tendrá una gran oportunidad de jugarlo (segura).

•Si el número de "B" es bajo (agresiva), entonces debe mandar un número fuerte alto (conservadora).

Opción 4. Si ambos números de "A" están abiertos, debe (preferiblemente) tapar el mayor si es alto debido a que es más probable que sea fuerte en el juego de "A".

Opción 5. Si tanto un número de la ”A” como el número de “B” están abiertos, su jugada **principal** será cuadrar al número de “B”. Por otra parte, también debe buscarle las **Entradas** al mismo. Además se asumirá que “C” jugó la ficha doble del número de “B”.

Si “C” jugó la ficha doble del número abierto de “A” o pasó, debe evitar jugar la ficha doble del número de “B” debido a que:

•Es posible que “C” quiera jugar el número de “B”.

•“C” debe estar fallo al número de “B”.

Por otra parte, si “C” pasó también es preferible que cuadre el set al número de “B” en vez de jugar una de las referidas fichas dobles (números de “A” ó “B”).

Resumiendo, “D” deberá:

•Jugar una ficha doble alta.

•Marcar un número alto (juega conservador) en vez de jugar una ficha doble contenida en un número bajo.

•Mandar, por segunda vez, el número marcado por “B” si es alto.

•Matar el mayor número de “A” si es alto.

•Cuadrar el set al número de “B” si “C” pasó o jugó la ficha doble del número marcado por “A”.

Capítulo 6: Jugadas Intermedias

En este Capítulo se presentan una serie de opciones intermedias y las mismas son clasificadas de la siguiente manera:

•Opciones básicas de todos los jugadores.

•Opciones del jugador que es Mano.

•Opciones de fichas identificadas o localizadas.

•Opciones avanzadas de buscar la Entrada (en la mayoría de las mismas se producirá un Afirmamiento y se incluye la jugada de "Sacar la Ficha").

Seguidamente se define el término "**Entrada**": Cuando el número abierto de uno (o ambos) extremo(s) de la cadena de fichas permite que una pareja mande o repita uno de los números que intenta jugar.

Además es importante aclarar que las jugadas, en este Capítulo, se presentan de la siguiente manera:

•Una Matriz en la cual aparece tanto el turno (1, 2, 3, etc.) como el jugador ("A", "B", "C" y "D"). Además, en el espacio correspondiente se presenta la respectiva ficha jugada por cada jugador.

•El juego (las fichas no jugadas) del jugador involucrado.

•Los detalles relevantes encontrados en el juego que influyen en la jugada.

•Se propone la ficha que se debe jugar (nuestra opinión). Además la jugada analizada podrá ser:

•Agresiva. En la misma se juega un número bajo.

•Conservadora. En la misma se juega un número alto.

•Mala. No debe ser empleada / aplicada.

•La(s) razón(es) particular(es) de la jugada.

Finalmente es importante señalar los siguientes puntos:

•Habrá casos en los cuales se analizará el riesgo de una jugada.

•Las opciones de jugada serán subrayadas.

•En muchos casos un jugador puede aplicar más de una de las jugadas propuestas. Por lo tanto, el jugador debe ejecutar la jugada más apropiada de acuerdo a su criterio y estilo de juego.

•Tanto la práctica que se tiene del juego como la retentiva y concentración del jugador influirán en cada jugada.

Opciones Básicas de todos los jugadores. A continuación se presentan 7 opciones.

Opción 1. Evitar una Jugada de Cuadre si repite o manda (juega) por segunda vez un determinado número (el mismo debió ser marcado por su compañero). Por otra parte, también evita la Entrada de un número marcado por Oposición y "fuerza" el desarrollo del set. A continuación se presentan 3 ejemplos.

Juego #1

Turno	A	B	C	D
1	(5;5)	(5;6)	(6;1)Manda	Tapa(1;2)

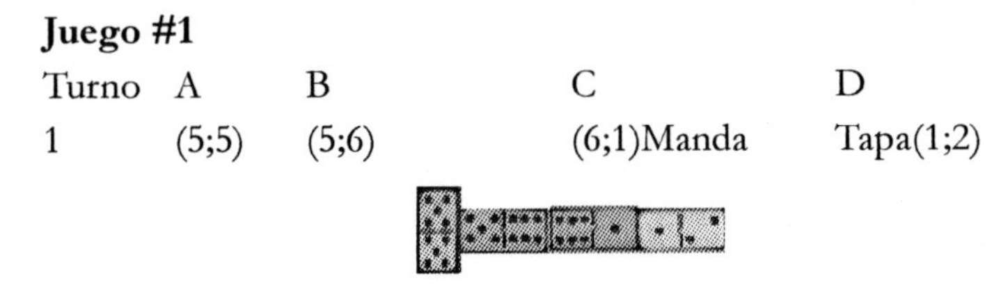

Juego (A): (5;1),(5;**4**),(1;**4**),(3;**4**),(3;3),(6;0).

Las opciones de jugada son las (5;1) y (5;4). Además el "uno" coincide con el número de "C1" y el "**cuatro**" es un número fuerte. Se **propone** jugar la (**5;1**) y mandar el "**uno**" (evita la Entrada del "dos"). Por otra parte, la (**5;4**) será una mala jugada si "B" tiene la (4;2).

Juego #2

Turno	A	B	C	D
1	(6;6)	(6;4)Manda	Tapa(4;3)	(6;5)
2	(5;1)			

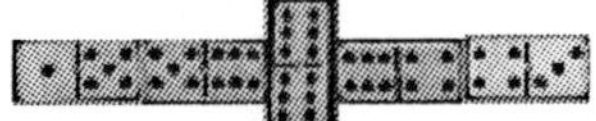

Juego (B): (2;**6**),(1;**6**),(1;**4**),(**5**;**4**),(**5**;2),(**5**;0).

Las opciones de jugada son las (1;4) y (1;6). Además tanto el "**cuatro**" (el número de "B1") como el "**seis**" son números fuertes. Se **propone** jugar la (**1;4**) y repetir el "**cuatro**" (evita la Entrada del "tres"). Por otra parte, la (**1;6**) será una mala jugada si "C" tiene la (6;3).

Si el Segunda Mano ("B") puede aplicar esta opción en su segundo turno, debe mandar un número alto y evitar repetir un número bajo apoyado.

Juego #3

Turno	A	B	C	D
1	(0;0)	(0;1)Manda	Tapa(1;3)	(0;2)
2	(3;0)			

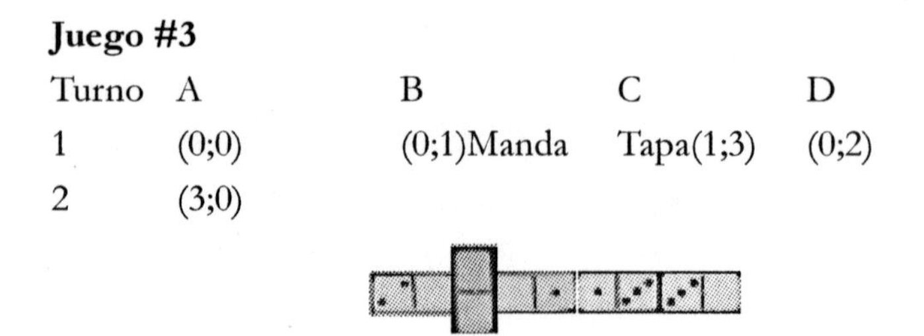

Juego (B): (2;1),(2;**4**),(**4;4**),(6;**4**),(6;3),(3;3).

Las opciones de jugada son las (2;1) y (2;4). Además el "uno" (un número en cantidad de 2) coincide con el número de "B1" y el "**cuatro**" es un número fuerte.

Se **propone** jugar la (**2;4**) y mandar el "**cuatro**", a pesar de que pueda **entrar** el "cero" mediante la (**4;0**), debido a que juega conservador. Por otra parte, la (**2;1**) es una jugada muy arriesgada.

Opción 2. Tapar un número marcado (o repetido) por un Oponente si su compañero mostró debilidad por el mismo (no lo tapó y pudo jugar forzado). Seguidamente se presentan 2 ejemplos[1].

Juego #1

Turno	A	B	C	D
1	(1;1)	pasa	(1;3)	(1;2)Manda
2	(3;6)Manda	(2;2)		

Juego (C): (2;6),(2;**3**),(**4;3**),(0;**3**),(0;1),(**4;4**).

Tiene 2 opciones de jugada para pegarle al "dos" (el número de "D2"): las (2;3) (mala) y (2;6), la cual es la ficha mixta que **cua-**

1 Esta opción debe ser aplicada, en la mayoría de los casos, por "C" y "D" (los jugadores que no deben tener el control de las parejas). Además el aludido número puede quedar abierto debido a que el jugador evita una Jugada de Cuadre.

dra el set. Además "A" tapó el "**tres**" en "A2" y el "seis" (un número huérfano) coincide con el número marcado por "A" en "A2".

Se **propone** jugar la (**2;6**) y cuadrar al "seis" debido a que "A" ya jugó por el "**tres**".

Juego #2

Turno	A	B	C	D
1	(3;3)	(3;4)Manda	Tapa(4;5)	(3;0)Manda
2	Tapa(5;3)	(3;1)		

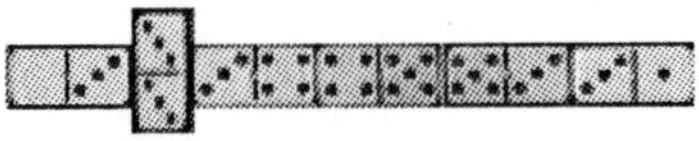

Juego (C): (0;4),(2;6),(1;6),(5;2),(5;5),(6;3).

Las opciones de jugada son las (0;4) y (1;6) (mala). Además "A" mostró debilidad por el "cero" (el número de "D1") debido a que tapó el "**cinco**" (el número de "C1") en "A2". Se **propone** jugar la (**0;4**) y mandar el "cuatro" (el número de "B1" que tapó en "C1").

Opción 3. Cuadrar, mandar (jugar) por segunda vez o dejar abierto el (los) número(s) marcado(s) por su compañero. Además, en algunos casos, debe evitar la Entrada. A continuación se presentan 4 ejemplos.

Juego #1

Turno	A	B	C	D
1	(4;0)	(4;4)	(4;5)	(5;6)Manda
2	Tapa(6;2)	(0;0)		

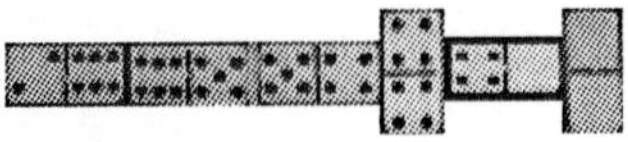

Juego #1 (C): (*0;2*),(**5;5**),(**1;5**),(**1;1**),(**1**;3),(3;3).

La (*0;2*) (una ficha mixta no acompañada) **cuadra** el set. Además tanto el "cero" como el "dos" fueron marcados por "A" en

"A1" y "A2". Por otra parte, la (0;6) no ha sido jugada y el "seis" coincide con el número de "D1".

Se **propone** jugar la (**0;2**) y cuadrar al "dos" debido a que "D" puede tener la (0;6) y evita la Entrada del "seis". Además la jugada de **cuadrar** al "cero" será mala si "D" tiene la (0;6).

El jugador puede tener la opción de jugar su única ficha doble si la misma puede ser ahorcada y por ende, la jugada será difícil y quedará a su criterio.

Juego #2

Turno	A	B	C	D
1	(4;4)	(4;1)	(1;3)	(4;5)Manda
2	(5;5)	(3;0)		

Juego (C): (**0;0**),(**0**;4),(**0**;6),(**0**;*2*),(6;*2*),(3;*2*).

El "**cero**" (el número de "B2") es fuerte e incluye a la (0;0) (su única ficha doble). Además la pareja debe estar falla al "cinco" (el número de "D1") debido a que "A" jugó la (5;5) en "A2" y salió con la (4;4).

Se **propone** jugar la (**0;4**) y mandar al "**cuatro**" (el número de "A1") debido a que "C" **protege** a su compañero ("C" evita una Jugada de Cuadre).

Juego #3

Turno	A	B	C	D
1	(2;2)	(2;4)	(4;1)	(2;6)Manda
2	(1;0)Manda	(0;5)		

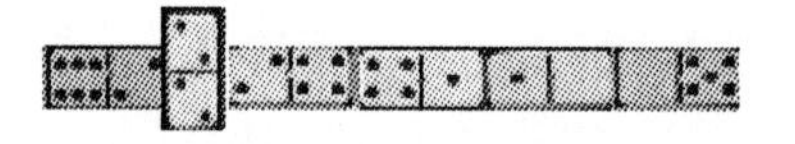

Juego (C): (5;5),(6;5),(5;2),(**1;1**),(3;**1**),(3;0).

Las opciones de jugada son las (5;5), (6;5) (la ficha mixta que cuadra el set) y (5;2). Además "A" debe estar fallo al "seis" (el número de "D1") debido a que jugó la (1;0) en "A2", no lo tapó y el "dos" coincide con el número de "A1".

Se **propone** jugar la (**5;2**) y mandar al "dos" (el número de "A1") debido a que "C" **protege** a su compañero[2].

Juego #4

Turno	A	B	C	D
1	(3;3)	(3;6)Manda	(6;2)	(3;0)Manda
2	(2;5)	(5;5)	(0;4)	

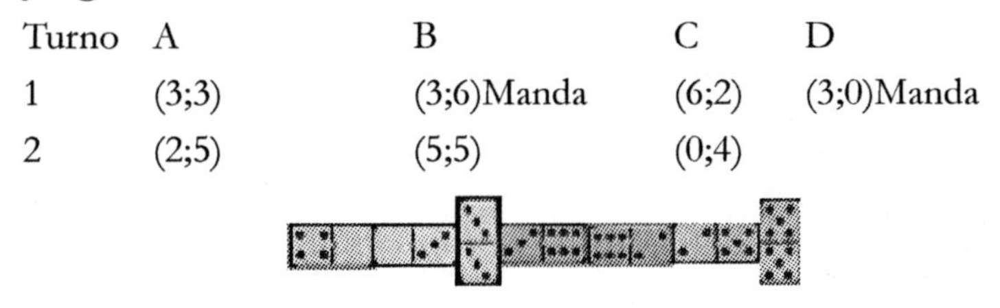

Juego (D): (5;6),(5;**0**),(**4;4**),(1;**4**),(**0;4**),(1;2).

"D" puede jugar casi todas sus fichas con excepción de la (1;2). Además el "**cuatro**" es un número fuerte y no tiene más fichas dobles por jugar. Por otra parte, el "seis" coincide con el número de "B1", el "tres" coincide con el número de "A1" y tanto la (5;3) como la (4;3) pueden ser jugadas.

Se **propone** jugar la (**5;6**) y mandar el "seis" (el número de "B1") debido a que es muy probable que "B" tenga la (6;6). Además estará evitando la Entrada del "tres" si "A" tapa el "seis" en "A3"[3].

Opción 4. Si tiene 2 opciones de jugada para mandar o repetir un número contenido en una Manopla, debe jugar por el número abierto que tenga en mayor cantidad.

---

2 Si la (**5;5**) hubiese sido su única ficha doble, entonces es preferible jugarla.

3 Si el número de "B1" hubiese sido bajo, entonces es preferible jugar la (**4;4**).

Juego

Turno	A	B	C	D
1	(5;5)	(5;6)Manda	Tapa(6;0)	(0;0)
2	(0;5)	pasa	(5;1)	(1;3)
3	(5;4)			

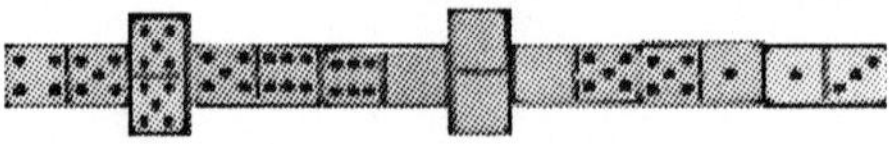

Juego (B): (2;2),(2;**6**),(4;**6**),(1;**6**),(3;**6**),(3;0).

Tiene 2 opciones de jugada para repetir el "**seis**" (el número de la Manopla): las (3;6) y (4;6) (arriesgada). Además el "tres" está acompañado por la (3;0). Se **propone** jugar la (**3;6**) y repetir el "**seis**" (segura) debido a que evitará taparlo o romperse más adelante.

Opción 5. Tapar un número (es preferible que sea alto) si su compañero cuadró el set al mismo y no jugó la respectiva ficha doble.

Juego

Turno	A	B	C	D
1	(3;3)	(3;2)	(2;6)Manda	(3;6)Cuadra
2	(6;1)			

Juego (B): (6;4),(**2**;4),(**2**;0),(5;5),(1;5),(1;3).

Las opciones de jugada son las (6;4) (arriesgada), (1;5) (segura) y (1;3) (mala). Además "D" cuadró al "seis" (el número de "C1") en "D1" y no jugó la (6;6). Por lo tanto, "C" la debe tener. Se **propone** jugar la (**6;4**), mandar el "cuatro" y buscar el **Ahorque** de la (6;6).

Dicho Ahorque será posible si el "seis" no es un número fuerte en el juego de su compañero ("D") debido a que si en efecto lo es, "D" debe afirmarse cuando tenga una de las **Entradas**[4].

Opción 6. Tratar de pasar al Oponente que le precede o juega después si es Mano. Además debe, preferiblemente, cuadrar, repetir o mandar (jugar) por segunda vez un número en vez de jugar una ficha doble.

Juego

Turno	A	B	C	D
1	(0;0)	(0;4)	(4;2)	(0;3)Manda
2	Tapa(2;5)	(5;6)	(6;6)	

Juego (D): (**6;3**),(**3;3**),(6;2),(2;2),(4;1),(5;1).

La (6;3) es la ficha mixta que **cuadra** el set, el "**tres**" (el número de "D1") es fuerte y "A" debe estar fallo al mismo (tapó el "dos", el número de "C1"). Se **propone** jugar la (**6;3**) y cuadrar al "**tres**" (arriesgada) debido a que debe pasar a "A".

Opción 7. Volver a repetir (juega por tercera vez) un número (preferiblemente alto) si la Oposición lo ha tapado 2 veces. Además su compañero pudo haberle buscado la **Entrada**. Seguidamente se presentan 3 ejemplos.

4 Es preferible no aplicar esta jugada si la pareja no tiene la opción de jugar para acumular puntos o el jugador estima que es conveniente.

Juego #1

Turno	A	B	C	D
1	(4;4)	(4;5)Manda	Tapa(5;1)	(4;1)
2	(1;3)	(1;1)	(3;4)	(1;2)
3	(2;4)	(4;0)	(0;6)	(6;2)
4	(2;2)	(2;5)Repite	Tapa(5;0)	(0;1)
5	(4;6)	(6;3)	(1;6)	

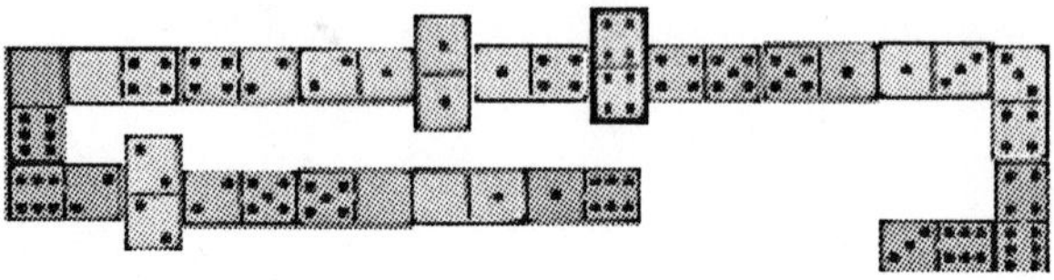

Juego (D): (3;5),(6;6),(3;0).

"D" puede jugar todas sus fichas, "B" ha estado jugando el "cinco" (lo marcó en "B1" y repitió en "B4"); y por ende, es muy probable que tenga la (**5;5**). Por otra parte, la (5;5) puede quedar ahorcada si "A" tiene la (5;6) (el posible Firme). Se **propone** jugar la (**3;5**) y mandar el "cinco"[5].

Juego #2

Turno	A	B	C	D
1	(6;6)	(6;2)	(6;4)Manda	Tapa(4;2)
2	(2;1)	(2;2)	(1;4)Repite	Tapa(4;0)
3	(0;2)	(2;5)		

Juego (C): (5;**4**),(5;**6**),(0;**6**),(0;3),(1;3).

Las opciones de jugada son las (5;4) y (5;6). Además el "**cuatro**" (el número que marcó en "C1" y repitió en "C2") es fuerte.

---

5 "D" está cerrando el juego por ambos extremos como podrá apreciar en el Capítulo 7.

Se **propone** jugar la (**5;4**) y repetir el "**cuatro**" debido a que a "A" puede tener la (**4;4**). Además es poco probable que "A" también tenga la (4;3) (el posible Firme).

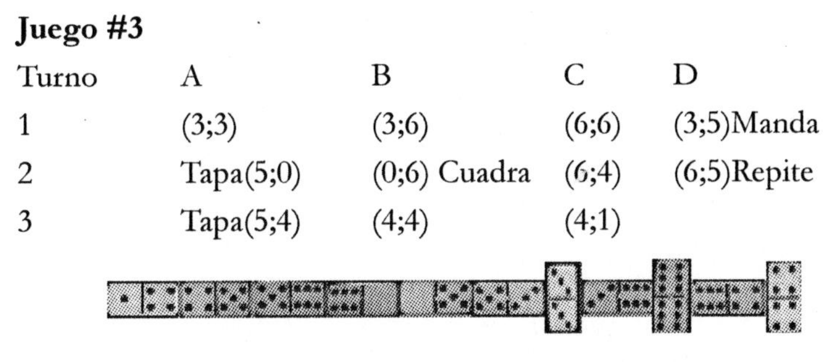

Juego #3

Turno	A	B	C	D
1	(3;3)	(3;6)	(6;6)	(3;5)Manda
2	Tapa(5;0)	(0;6) Cuadra	(6;4)	(6;5)Repite
3	Tapa(5;4)	(4;4)	(4;1)	

Juego (D): (1;5),(1;6),(4;0),(0;0),(3;2).

Las opciones de jugada son las (4;0) (mala), (1;5) y (1;6). Además el "**cinco**" (el número que marcó en "D1" y repitió en "D2") es fuerte y puede afirmar a "B" al "seis" (lo marcó en "B1" y cuadró en "B2") mediante la (6;2).

Se **propone** jugar la (**1;5**) y repetir el "**cinco**" (segura) debido a que a "B" puede tener tanto la (**5;5**) como la (5;2) (el posible Firme). Por otra parte, la (**1;6**) (arriesgada) también es una buena jugada.

Finalmente, se destacan los siguientes puntos:

•Un jugador debe dejar abierto un número fuerte si tiene todas las fichas mixtas no jugadas del mismo debido a que nadie lo podrá tapar. Además, puede evitar jugar la ficha doble del referido número si su Ahorque es imposible.

•Un jugador puede buscarle las fichas dobles a su compañero al repetir un número el cual no incluye la ficha doble.

•Si ambos miembros de la pareja ("B" y "D") pasaron en su primer turno, "B" debe jugar más conservador debido a que la Oposición tiene todas las fichas no jugadas del número de "A1".

•"B" puede optar por dejar abierto un número alto marcado por "A" si no tiene un juego suficientemente bueno como para ganar el set y le pega al número marcado por "C". La razón es buscar la respectiva ficha doble.

•"C" debe (preferiblemente) pegarle a un número alto si es repetido por "B".

•"D" puede mandar un número el cual está siendo jugado por "A" si la respectiva ficha doble ya fue jugada y sabe que "A" está fallo al otro número abierto. La razón es que "A" tendrá que pegarle.

•Si "C" o "D" tienen un excelente juego sin fichas dobles con un número fuerte en cantidad de 4 (o una Manopla), pueden optar por robarse el set si lo estiman conveniente.

Opciones del jugador que es Mano.

A. El Salidor y el Segunda Mano ("A" y "B").

A continuación se presentan 3 opciones.

Opción 1. Jugar, preferiblemente, una ficha doble si es alta o está contenida en un número fuerte. Si la aludida ficha doble no presenta tales atributos, es preferible que tenga, cuando mucho, una ficha doble más por jugar. Seguidamente se presentan 2 ejemplos[6].

Juego #1

Turno	A	B	C	D
1	(2;2)	(2;4)	(4;3)	(2;1)
2	(1;3)Cuadra	(3;0)	(3;3)	(3;5)Manda

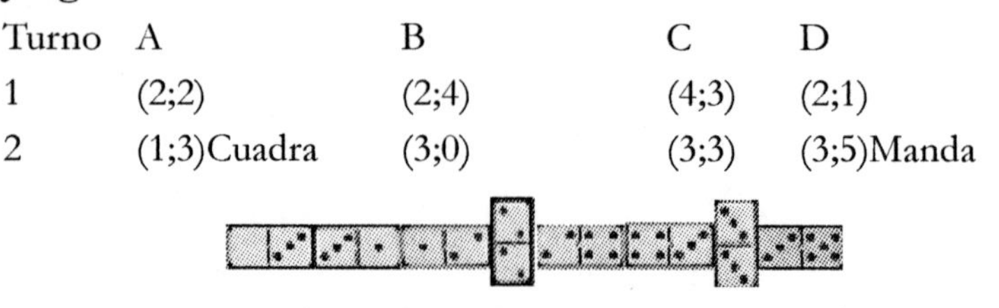

6 Estas jugadas son muy **controvertidas** y dependerán tanto del criterio del jugador.

Juego (A): (**3**;6),(**3**;**2**),(5;**2**),(0;0),(0;1).

Las opciones de jugada son las (0;0) (su única ficha doble), (0;1) y (5;2). Además puede pegarle al "cinco" (el número de "D2") y está fallo al "cuatro" (el número de "B1").

Se **propone** jugar la (**0;0**) (segura) debido a que cuida su juego (evita quedar fallo al "cinco" y queda sin fichas dobles). Por otra parte, la (**5;2**) es una jugada muy arriesgada debido a que es más probable que no pueda jugar el doble blanco más adelante[7].

Juego #2

Turno	A	B	C	D
1	(1;1)	pasa	(1;3)	(3;6)Manda

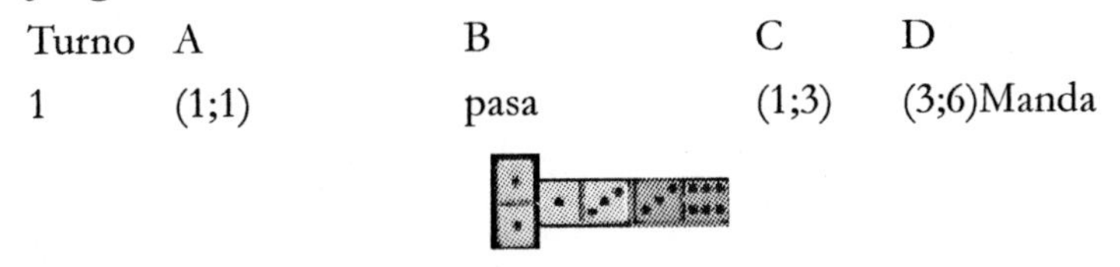

Juego #2 (A): (6;6),(6;**1**),(5;**1**),(0;**1**),(0;2),(4;2).

La (6;6) (una ficha doble que coincide con el número de "D1") es su única por jugar, la (6;1) es la ficha mixta que **cuadra** el set y el "**uno**" (el número de "A1") es fuerte en cantidad de 4.

Se **propone** jugar la (**6;6**) (segura). Además la jugada de **cuadrar** al "**uno**", mediante la (**6;1**), también es buena (arriesgada) debido a que "B" volverá a pasar.

Opción 2. Cuadrar o dejar abierto un número marcado por la Oposición si es fuerte en cantidad de 4 ó más. Seguidamente se presentan 3 ejemplos en los cuales el número abierto está en cantidad de 3[8].

---

7 La situación será la misma si tiene la opción de jugar la ficha doble del número (bajo) marcado por su compañero y puede cuadrar el set (Mata un número alto marcado por la Oposición).

8 Estas jugadas son difíciles y quedarán al criterio del jugador.

Juego #1

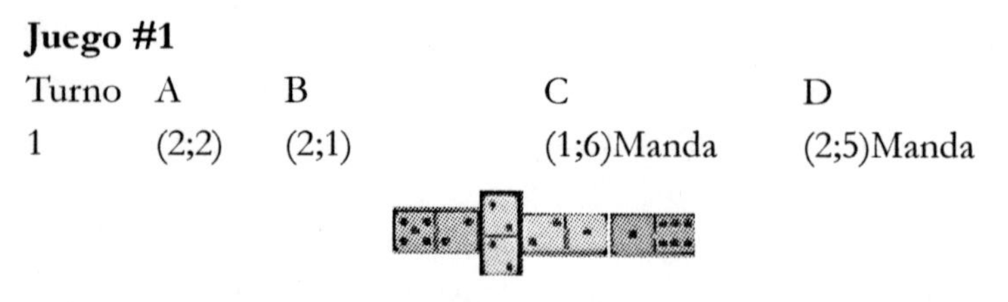

Turno	A	B	C	D
1	(2;2)	(2;1)	(1;6)Manda	(2;5)Manda

Juego (A): (6;**5**),(4;**5**),(3;**5**),(1;0),(3;0),(2;4).

La (6;5) es la ficha mixta que **cuadra** el set y el "**cinco**" (el número de "D1") es fuerte. Se **propone** jugar la (**6;5**) y cuadrar al "**cinco**" (segura) debido a que tiene un Juego sin Fallo ni fichas dobles (es suficientemente Bueno como para ganar el set).

Además la jugada de **cuadrar** al "seis" ("**corretea**" a la doble quina y cuadra al número de "C1") también es buena (arriesgada) si la pareja tiene la opción de jugar para acumular puntos.

Juego #2

Turno	A	B	C	D
1	(4;4)	(4;6)Manda	(6;6)	(4;2)Manda

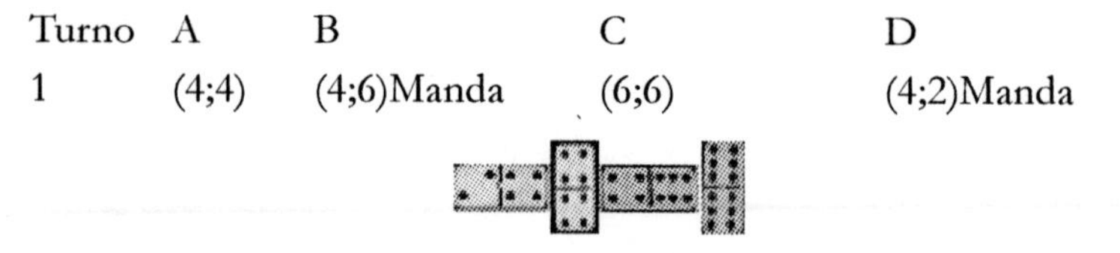

Juego (A): (1;**2**),(5;**2**),(**6;2**),(**6**;0),(**6**;3),(4;1).

Tanto el "**seis**" (el número de "B1") como el "**dos**" (el número de "D1") son fuertes y la (2;6) es la ficha mixta que **cuadra** el set. Se **propone** jugar la (**2;6**) y cuadrar al "**seis**" debido a que la (2;2) no ha sido jugada y, por ende, tiene una mejor oportunidad de jugar el aludido número.

Juego #3

Turno	A	B	C	D
1	(3;3)	(3;4)	(4;4)	(3;2)Manda
2	(4;0)Manda			

Juego (B): (**0**;2),(**0**;5),(**0**;6),(4;6),(5;1),(1;1).

La (0;2) es la ficha mixta que **cuadra** el set, el "**cero**" (el número de "A2") es fuerte y el "dos" (el número de "D1") no está acompañado.

Se **propone** jugar la (**0;2**) y cuadrar al "dos" (segura). Además la jugada de cuadrar al "**cero**" también es buena (arriesgada) debido a que: a) "A" puede tener la (0;0); y b) Puede **entrar** el "tres" mediante la (0;3)[9].

Opción 3. Si el compañero marcó un número alto, debe (preferiblemente) mandarlo por segunda vez (conservadora). Seguidamente se presentan 3 ejemplos.

Juego #1

Turno	A	B	C	D
1	(4;4)	(4;0)	(0;0)	(4;5)Manda
2	Tapa(5;3)			

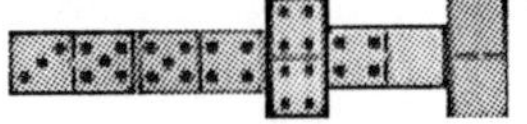

Juego (B): (1;6),(3;6),(3;2),(**0**;**2**),(5;2),(**0**;5).

El "**cero**" (el número de "B1") es fuerte y puede mandar el "**dos**" (otro número fuerte). Además el "cinco" (el número de "D1") está apoyado. Se **propone** jugar la (**0;5**) y mandar el "cinco" (segura) debido a que "D" puede tener la (**5;5**). Por otra parte, la (**3;2**) (agresiva) también es una buena jugada.

9 Si el número que es fuerte fue marcado por "C", la jugada no será arriesgada y debe cuadrar hacia el mismo.

Juego #2

Turno	A	B	C	D
1	(2;2)	(2;3)	(3;6)Manda	Tapa(6;1)

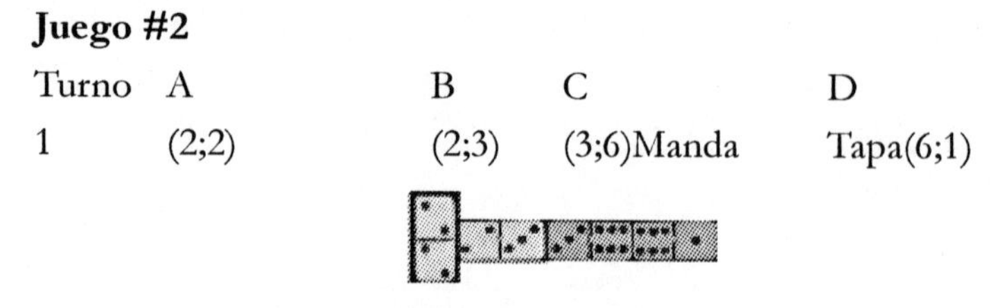

Juego (A): (**2**;6),(**2**;**0**),(4;**0**),(5;**0**),(1;4),(3;6).

Las opciones de jugada son las (2;0) (agresiva), (2;6) y (1;4) (conservadora pero arriesgada). Además el "**cero**" es un número fuerte, el "seis" (el número de "C1") está acompañado por la (3;6) y el "cuatro" es un número acompañado por la (0;4).

Se **propone** jugar la (**2;6**) y mandar el "seis" (segura) debido a que "C" puede tener la (**6;6**). Por otra parte, las (**2;0**) y (**1;4**) también son buenas jugadas.

Juego #3

Turno	A	B	C	D
1	(0;0)	(0;3)	(3;5)Manda	pasa

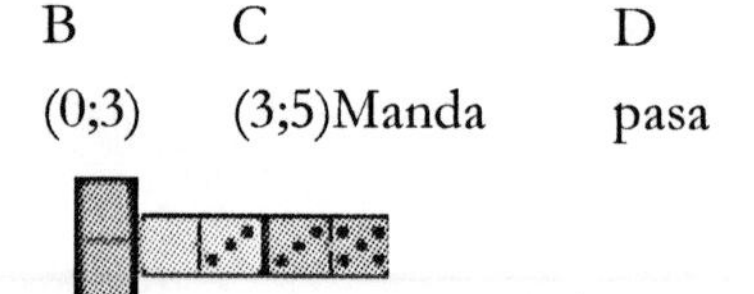

Juego (A): (4;5),(**0**;5),(**0**;2),(6;2),(1;3),(3;3).

El "**cero**" (el número de "A1") es fuerte (en cantidad de 3), la (5;0) es la ficha mixta que **cuadra** el set y el "cinco" (el número de "C1") está acompañado por la (4;5). Se **propone** jugar la (**0;5**) y cuadrar al "cinco" (segura) debido a que "C" puede tener la (**5;5**). Además la jugada de tapar el "cinco" y **cuadrar** al "**cero**" también es buena (arriesgada)[10].

---

10 Es preferible que el número alto marcado por el compañero esté, por lo menos, apoyado. Además, si "A" le pega al "cinco", "C" lo puede repetir con el objetivo de que "A" lo siga Matando (ésta se conoce como la jugada del "**Bobo**", surge de los Sres. Luis E. Guizado, Pedro Oliva, Teodosio Bernal y Rogelio Hernández; y también puede ser aplicada por "A").

B. El Salidor (“A”).

A continuación se presentan 2 opciones.

Opción 1. Evitar mandar (jugar) por segunda vez un número marcado por “B”. A continuación se presentan 2 casos (A y B).

Caso A. La respectiva ficha doble no ha sido jugada.

Juego

Turno	A	B	C	D
1	(3;3)	(3;6)Manda	Tapa(6;1)	(3;4)
2	(4;1)Cuadra	(1;5)	(5;5)	(5;4)

Juego (A): (2;**3**),(**1;3**),(**1**;0),(5;6),(4;6).

Sólo tiene una opción de jugada para tapar el “cuatro” (el número repetido por “D”): la (4;6). Además el “seis”, un número acompañado por la (5;6), coincide con el número de “B1”.

Se **propone** jugar la (**1;3**) y repetir el “**tres**” (el número de “A1”) debido a que si juega la (**4;6**) (mala), “B” puede jugar la (6;6) en el caso de tenerla.

Es importante notar que podrá mandar el referido número si lo puede jugar (debe ser fuerte). Además, si incluye a la respectiva ficha doble, su Ahorque debe ser imposible (está en cantidad de 4 ó más).

Caso B. Tiene la respectiva ficha doble y la misma puede ser ahorcada (en la mayoría de los casos el mencionado número debió ser marcado en el primer turno).

Juego

Turno	A	B	C	D
1	(4;4)	(4;2)Manda	Tapa(2;3)	(4;5)

Juego (A): (5;2),(2;2),(3;**4**),(6;**4**),(0;**4**),(3;1).

Sólo tiene una opción de jugada para tapar el "cinco" (el número de "D1"): la (5;2). Además el "dos", un número acompañado por la (2;2), coincide con el número de "B1".

Se **propone** jugar la (**3;4**) y repetir el "**cuatro**" (el número de "A1") (segura) debido a que si juega la (**5;2**) y manda el "dos" (arriesgada), el Ahorque de la (2;2) será muy probable.

Opción 2. Pegarle a un número marcado por un Oponente. A continuación se presentan 2 casos (A y B).

Caso A. El número fue marcado por "D" y es alto. Además el número que debe jugar no debe coincidir con uno marcado por "B", en el caso de que la respectiva ficha doble no haya sido jugada (Ver la Opción #2). Por otra parte, debe mandar el número huérfano o tapar con el "fallo" (las jugadas son muy arriesgadas y quedarán al criterio del jugador) si:

- La pareja tiene la opción de jugar para acumular puntos.
- Tiene un juego suficientemente Bueno como para ganar el set (debe tener, cuando mucho, una ficha doble por jugar)[11].
- No tiene (preferiblemente) un Juego Alto.

---

11 Si tiene más de una ficha doble por jugar, es preferible evitar "corretear" a la referida ficha doble debido a que "C" la puede tener.

La razón por la que manda el número no acompañado (juega muy arriesgado) es "**morder**" a la respectiva ficha doble. Seguidamente se presentan 4 ejemplos.

Juego #1

Turno	A	B	C	D
1	(3;3)	(3;2)	(3;4)	(4;4)
2	(2;1)Manda	(1;1)	(4;1)Cuadra	(1;5)Manda

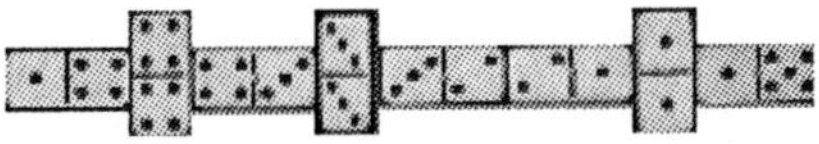

Juego (A): (5;0),(5;**3**),(**1**;**3**),(**1**;6),(2;6).

Tiene 2 opciones de jugada para tapar el "cinco" (el número de "D2"): las (5;0) y (5;3) (agresiva). Además el "**tres**" (el número de "A1") es fuerte y el "cero" es un número no acompañado. Se **propone** jugar la (**5;0**), mandar el "cero" y "**morder**" a la (5;5).

Juego #2

Turno	A	B	C	D
1	(5;5)	(5;2)	(2;3)	(3;6)Manda

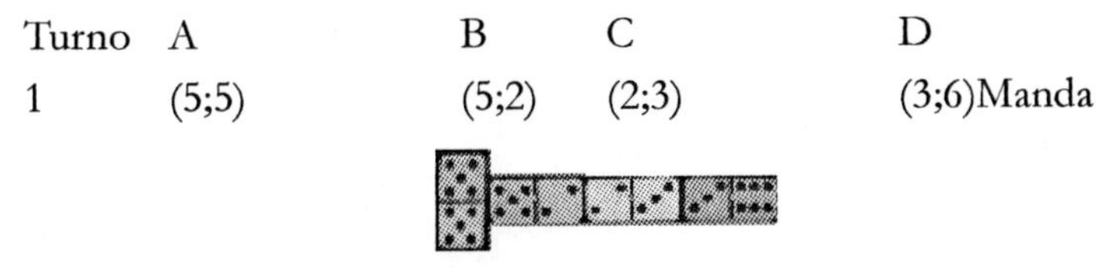

Juego (A): (6;5),(6;**1**),(0;**1**),(3;**1**),(3;3),(4;2).

Tiene 2 opciones de jugada para tapar el "seis" (el número de "D1"): las (6;5) (la ficha mixta que **cuadra** el set) y (6;1) (agresiva). Además el "cinco" (el número abierto de "A1") está (ahora) huérfano. Se **propone** jugar la (**6;5**), cuadrar al "cinco" y "**corretear**" a la (6;6)[12].

12 El Salidor, en algunos casos, debe cuadrar al número de la Salida ó "A1" (estará huérfano) y confiar en que "C" lo tenga en su juego.

Juego #3

Turno	A	B	C	D
1	(4;4)	(4;6)	(6;6)	(4;5)Manda

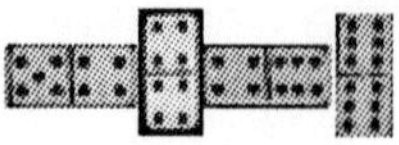

Juego (A): (**5**;6),(**5**;2),(**5**;**3**),(2;**3**),(**4**;**3**),(**4**;1).

El "**cinco**" (el número de "D1") es fuerte, la (5;6) es la ficha mixta que **cuadra** el set y el "seis" (el número de "B1") no está acompañado. Se **propone** jugar la (**5;6**), cuadrar al "seis" y "**corretear**" a la (5;5).

Juego #4

Turno	A	B	C	D
1	(1;1)	(1;2)	(2;2)	(1;6)Manda

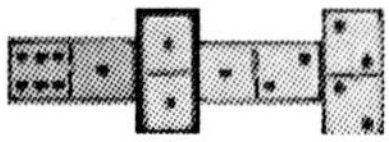

Juego (A): (*6;2*),(**1**;3),(**1**;5),(**1**;0),(0;0),(5;3).

La (*6;2*), una ficha mixta no acompañada, **cuadra** el set. Además el "dos" (el número de "B1") está abierto. Se **propone** jugar la (**6;2**), cuadrar al "dos" y "**morder**" a la (6;6)[13].

Caso B. El número fue marcado (o repetido) por "B" y la respectiva ficha doble no ha sido jugada. Además "D" pudo mandar (jugar) por segunda vez el mencionado número. Por otra parte, debe mandar el número no acompañado (esta jugada es segura debido a que "**muerde**" a la referida ficha doble). Seguidamente se presentan 5 ejemplos[14].

---

13 Si hubiese tenido más de una ficha doble por jugar, es preferible **cuadrar** al "seis" (segura) debido a que "C" puede tener la (6;6).

14 Si "B" pasó o "A" puede quedar fallo al mencionado número, la jugada será más difícil y quedará al criterio del jugador.

Juego #1

Turno	A	B	C	D
1	(0;0)	(0;5)Manda	Tapa(5;3)	(0;6)
2	(3;2)	(6;6)	(6;4)	(4;4)
3	(2;0)	(4;2)	(2;2)	(2;5)Manda

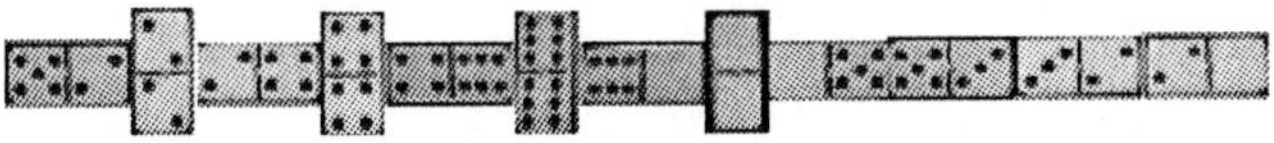

Juego (A): (5;6),(5;4),(**0**;4),(3;1).

Tiene 2 opciones de jugada para tapar el "cinco" (el número de "B1" que fue mandado o jugado por segunda vez por "D"): las (5;6) y (5;4) (conservadora). Además el "seis" (el número de "D1") no está acompañado. Se **propone** jugar la (**5;6**), mandar el "seis" y "**corretear**" a la (5;5).

Juego #2

Turno	A	B	C	D
1	(5;5)	(5;1)Manda	(5;6)	(6;4)

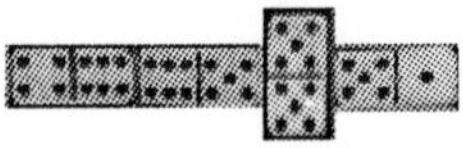

Juego (A): (4;**1**),(3;**1**),(0;**1**),(4;**5**),(2;**5**),(0;6).

El "**uno**" (el número de "B1") es fuerte, el "tres" no está acompañado y la (4;1) es la ficha mixta que **cuadra** el set. Se **propone** jugar la (**1;3**) (segura) mandar el "tres" y "**morder**" a la (**1;1**).

Además la jugada de cuadrar al "**uno**", mediante la (**4;1**) también es buena (arriesgada) debido a que tiene un excelente Juego sin Fallo ni fichas dobles (es suficientemente Bueno como para ganar el set).

Juego #3

Turno	A	B	C	D
1	(5;5)	(5;2)Manda	(5;1)Manda	(1;6)

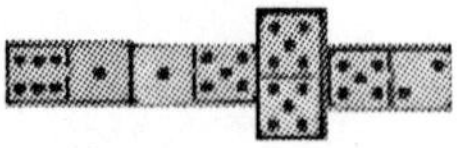

Juego (A): (2;1),(2;**3**),(0;**3**),(4;**3**),(*5*;**3**),(*5*;6).

Tiene 2 opciones de jugada para tapar el "dos" (el número de "B1"): las (2;1) y (2;3). Además el "uno", un número no acompañado, coincide con el de "C1" y el "**tres**" es un número fuerte.

Se **propone** jugar la (**2;1**), mandar el "uno" y "**morder**" a la (2;2) (evita una Jugada de Cuadre).

Juego #4

Turno	A	B	C	D
1	(1;1)	(1;4)Manda	(1;3)Manda	(3;2)

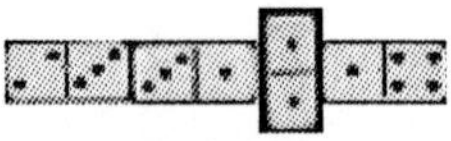

Juego (A): (4;2),(4;5),(**1**;5),(**1**;3),(3;3),(6;0).

Tiene 2 opciones de jugada para tapar el "cuatro" (el número de "B1"): las (4;2) (la ficha mixta que **cuadra** el set) y (4;5) (conservadora). Además el "dos" (el número de "D1") no está acompañado. Se **propone** jugar la (**4;2**), cuadrar al "dos" y "**corretear**" a la (4;4).

Juego #5

Turno	A	B	C	D
1	(5;5)	(5;1)Manda	Tapa(1;2)	(5;6)
2	(6;2)Cuadra	(2;4)	(2;2)	(4;6)
3	(2;5)	(6;1)Repite	(5;0)	(0;0)

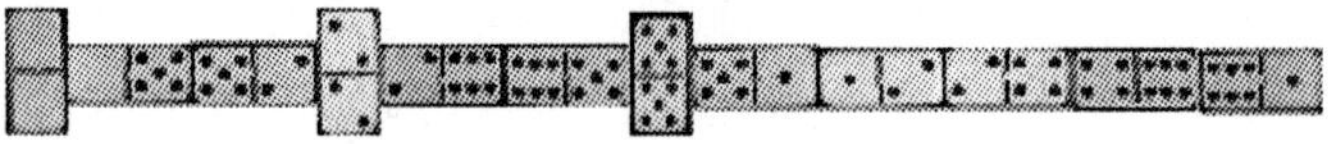

Juego (A): (1;0),(1;3),(4;**5**),(4;4).

Tiene 2 opciones de jugada para tapar el "uno" (el número de "B1" que fue repetido por "B"): las (1;0) (la ficha mixta que **cuadra** el set) y (1;3). Además tanto el "cero" el "tres" son números no acompañados.

Se **propone** jugar la (**0;1**) y cuadrar al "uno". Por otra parte, esta jugada sólo saldrá bien si "D" tiene la (1;4)[15].

Opciones de Fichas Identificadas. A continuación se presentan 5 opciones.

Opción 1. Evitar mandar (o repetir) un número fuerte si es muy probable que su compañero pase o tenga que taparlo. Seguidamente se presentan 2 ejemplos.

Juego #1

Turno	A	B	C	D
1	(6;6)	(6;0)	(0;4)Manda	(4;4)
2	Tapa(6;3)	(3;3)		

Juego (C): (*3;5*),(4;2),(4;**1**),(2;**1**),(6;**1**),(**1;1**).

"A" debe estar fallo al "cuatro" (tapó el "seis", el número de "A1"). Además tiene 2 opciones de jugada para tapar el "*cuatro*": las (4;2) y (4;1) (arriesgada). Por otra parte, el "**uno**" es un número fuerte y "D" puede tener la (3;4). Se **propone** jugar la (**4;2**) y mandar el "dos" (segura).

15 Si el número de "B" es alto, debe (preferiblemente) pegarle si la pareja va por debajo en la puntuación.

Juego #2

Turno	A	B	C	D
1	(4;4)	pasa	(4;6)	(4;2)Manda
2	Tapa(2;6)	(6;6)	(6;5)Manda	pasa
3	(6;1)	(5;0)	(1;1)	(1;2)Repite
4	(0;1)	(1;3)		

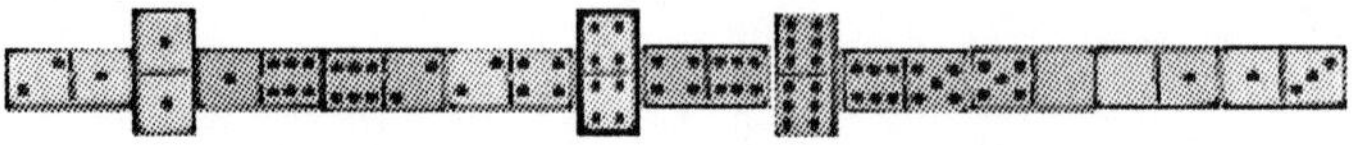

Juego (C): (3;4),(3;**5**),(2;**5**),(**5;5**).

Las opciones de jugada son las (3;4), (3;5) (arriesgada) y (2;5) (arriesgada). Además el "**cinco**" es un número fuerte y "A" puede tener la (4;5). Por otra parte, "D" está jugando el "dos" (lo marcó en "D1" y repitió en "D3"), puede tener tanto la (3;2) como la (2;2) y "A" lo tapó en "A2". Se **propone** jugar la (**3;4**), mandar el "cuatro" (segura y coincide con el número de "A1") y buscar la (**4;5**).

Opción 2. Mandar un número para después repetirlo si no puede evitar la Entrada del número fuerte del Oponente que le precede o juega después (este jugador generalmente se afirmará). A continuación se presentan 2 casos (A y B).

Caso A. El aludido jugador está afirmado y el número que mandará coincide con el número de su Firme.

Juego

Turno	A	B	C	D
1	(6;5)Manda	pasa	(6;6)	Tapa(5;0)
2	(0;1)	(1;1)	(6;1)	pasa
3	(1;5)Repite	(1;4)	(4;4)	Tapa(5;3)
4	(4;5)Afirma	(3;4)	(5;5)	(4;6)

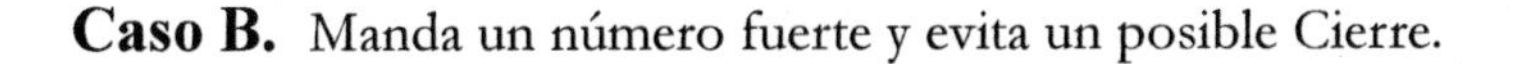

Juego (A): (*6;2*),(*6;3*),(**5**;2).

La (5;2) es un Firme y sus otras opciones de jugada son las (6;2) y (6;3) (mala). Además "B" se puede afirmar al "uno" en "B5" debido a que tanto la (2;1) como la (3;1) no han sido jugadas. Se **propone** jugar la (**6;2**) y mandar el "dos".

Caso B. Manda un número fuerte y evita un posible Cierre.

Juego

Turno	A	B	C	D
1	(4;0)Manda	(4;4)	Tapa(0;6)	(6;5)
2	(5;0)Repite	(4;5)	(5;2)	

Juego (D): (2;2),(2;1),(1;1),(3;1),(5;1),(5;3).

Las opciones de jugada son las (2;2) (mala) y (2;1). Además el "**uno**" es un número fuerte y "A" se debe afirmar al "cero" en "A3" (lo marcó en "A1" y repitió en "A2") debido a que tanto la (1;0) como la (2;0) no han sido jugadas.

Se **propone** jugar la (**2;1**) y mandar el "**uno**" debido a que es muy probable que tenga que marcarlo más adelante produciendo, en efecto, el Cierre.

Opción 3. Dejar abierto un número si la pareja tiene todas las fichas mixtas no jugadas del mismo. Seguidamente se presentan 2 ejemplos.

Juego #1

Turno	A	B	C	D
1	(6;6)	(6;1)	(1;1)	(6;0)
2	(1;0)Cuadra	(0;2)	(2;4)	(4;1)
3	(1;5)	(5;5)	(5;6)Manda	(0;0)

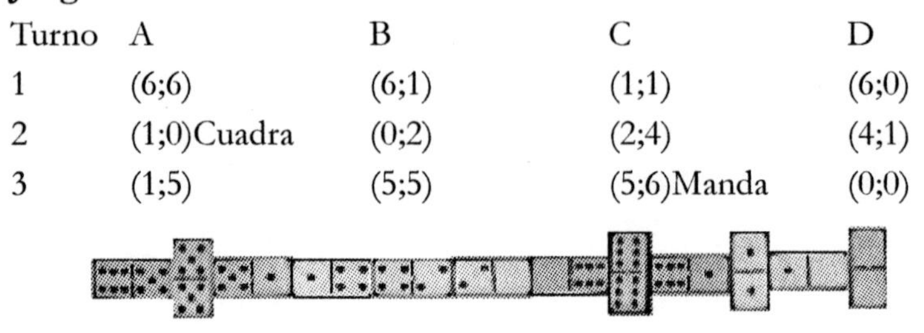

Juego (A): (**0**;5),(**6**;2),(**6**;3),(**0**;3).

La pareja debe tener todas las fichas mixtas no jugadas del "**seis**" debido a que tanto "B" como "D" jugaron forzado en "B1" y "D3". Por lo tanto, "C" debe tener la (6;4).

Las opciones de jugada que tiene por el otro extremo son: las (0;5) y (0;3). Además la (5;5) ya fue jugada, la (5;4) no ha sido jugada y el "tres" está acompañado por la (6;3). Se **propone** jugar la (**0;5**), repetir el "cinco", dejar **abierto** el "**seis**" y buscar la (**4;6**) si "B" juega la (5;4).

Juego #2

Turno	A	B	C	D
1	(4;4)	(4;6)Manda	(6;1)	(4;1)Cuadra
2	(1;0)	(0;0)	(1;1)	(0;2)
3	(2;6)Manda			

Juego (B): (6;5),(6;**3**),(5;**3**),(1;**3**),(0;**3**).

La pareja debe tener todas las fichas mixtas no jugadas del "uno" debido a que "A" jugó forzado en "A2" y "A3". Además "D" cuadró al "uno" en "D1". Por lo tanto, "D" debe tener las (1;2) y (1;5).

Las opciones de jugada que tiene por el otro extremo son: las (6;5) y (6;3). Además el "*seis*" (el número de "B1") era un segundo fuerte. Se **propone** jugar la (**6;5**), mandar el "cinco", dejar **abierto** el "uno" y buscar la (**5;1**) si "C" juega la (5;5).

Opción 4. Evitar mandar (jugar) por segunda vez un número si su respectiva ficha doble no ha sido jugada y la misma debe ser poseída por el Oponente que le precede o juega después. Además el aludido Oponente tiene el control relativo de su pareja.

Juego

Turno	A	B	C	D
1	(4;4)	pasa	(4;0)	(0;6)Manda
2	(6;1)	(1;5)	(5;5)	(4;5)Cuadra
3	(5;0)	(0;0)	(0;1)	(5;6)Repite
4	(6;3)	(3;5)	(1;1)	(5;2)Manda
5	(1;4)	Tapa(2;6)		

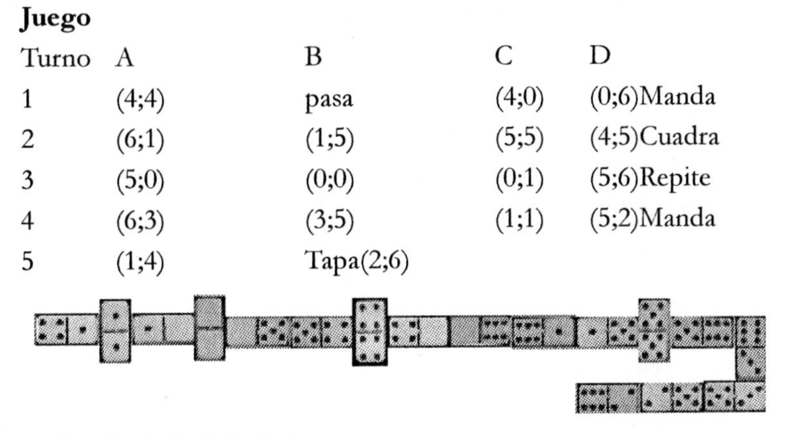

Juego (C): (4;3),(4;2),(1;2).

Las opciones de jugada son las (4;3) y (4;2) (mala). Además "D" marcó el "dos" en "D4", "A" no jugó la (2;2) en "A5" y "B" lo tapó en "B5". Se **propone** jugar la (**4;3**) y mandar al "tres" debido a que es muy probable que "D" tenga la (2;2).

Opción 5. Mandar un número huérfano (tapa con el "fallo") si le identifica una ficha doble a un Oponente.

Juego

Turno	A	B	C	D
1	(6;6)	(6;4)	(4;2)	(2;6)Cuadra
2	(6;1)Manda	Tapa(1;4)	(6;0)	(0;4)Cuadra
3	(4;3)	(3;3)	(3;0)	(0;5)
4	(5;1)Repite	(4;4)	pasa	

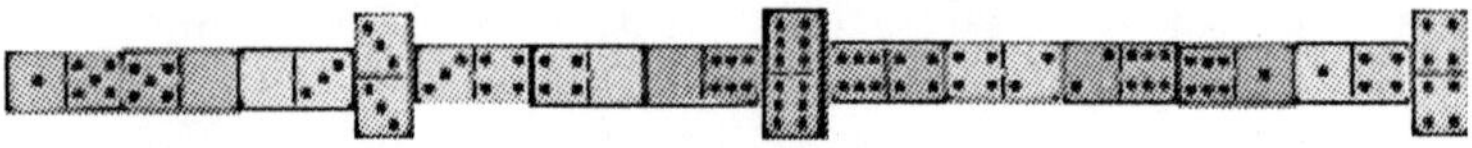

Juego (D): (**6**;5),(**6**;3),(1;3),(1;2).

Tiene 2 opciones para tapar el "uno" (el número repetido por "A"): las (1;3) (arriesgada) y (1;2). Además la (1;1) no ha sido jugada y "A" debe tenerla. Se **propone** jugar la (**1;2**), mandar el "dos" y "**morder**" a la (1;1) (segura).

Opciones avanzadas de buscar la Entrada. Se producirá un Afirmamiento y a continuación se presentan 5 opciones[16].

Opción 1. Buscar la Entrada del número de su compañero mediante una ficha mixta. Seguidamente se presentan 3 ejemplos.

Juego #1

Turno	A	B	C	D
1	(4;2)	(2;2)	(4;3)	(2;0)Manda
2	(0;4)Repite	(3;5)		

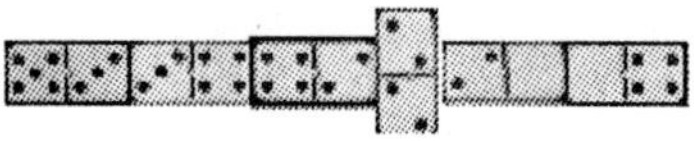

Juego (C): (5;0),(0;0),(5;6),(2;6),(**3;3**),(**3**;1)

Tiene 2 opciones de jugada para tapar el "cinco" (el número de "B2"): las (5;0) (mala) y (5;6). Además "A" ha estado jugando el

16 El jugador, en algunos casos, también buscará la Entrada del número de la Oposición. Sin embargo, el Oponente se verá forzado a romper el Firme al afirmarse su compañero.

"cuatro" (lo marcó en "A1" y repitió en "A2") y la (6;4) no ha sido jugada. Se **propone** jugar la (**5;6**), mandar el "seis" y buscar la (**6;4**).

Juego #2

Turno	A	B	C	D
1	(4;4)	(4;2)	(2;1)	(4;3)
2	(3;6)Manda	(6;2)	(2;5)	(5;5)
3	(5;6)Repite	(1;3)		

Juego (C): (3;0),(6;**1**),(**1;1**),(4;**1**),(5;0).

Las opciones de jugada son las (6;1) (arriesgada) y (3;0). Además "A" ha estado jugando el "seis" (lo marcó en "A2" y repitió en "A3") y la (0;6) no ha sido jugada. Se **propone** jugar la (**3;0**), mandar el "cero" y buscar la (**0;6**).

El jugador puede evitar repetir un número fuerte y mandar un número el cual incluye la respectiva ficha doble (si no la incluye, la misma ha debido ser jugada).

Juego #3

Turno	A	B	C	D
1	(6;6)	(6;1)Manda	(1;0)	(6;4)Manda
2	(0;3)	(3;5)	(4;4)	(5;4)Cuadra
3	pasa			

Juego (B): (4;2),(2;2),(4;**1**),(**1;1**),(0;5).

Las opciones de jugada son las (4;1) (mala) y (4;2). Además el "**uno**" es fuerte y fue marcado en "B1". Por otra parte, el "dos" está acompañado por la (2;2), "D" ha estado jugando el "cuatro" (lo marcó en "D1" y cuadró en "D2") y tanto la (3;4) como la (0;4) no han sido jugadas.

Se **propone** jugar la (**4;2**), mandar el "dos" y buscar tanto la (**3;4**) como la (**0;4**) si "C" juega la (2;3) ó la (2;0) ("B" evita que "C" pase).

Opción 2. Buscar la Entrada del número de su compañero mediante una Jugada de Cuadre. A continuación se presentan 3 ejemplos.

Juego #1

Turno	A	B	C	D
1	(6;6)	(6;5)Manda	Tapa(5;2)	(6;4)
2	(4;5)Manda	(5;5)	(2;1)	(5;1)
3	(1;6)	(6;0)		

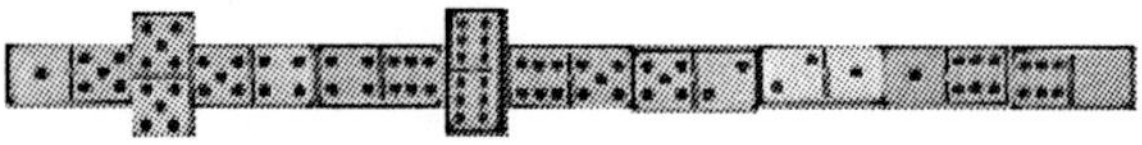

Juego (C): (**1;1**),(**1**;4),(**1**;0),(2;0),(3;3).

La (1;0) es la ficha mixta que **cuadra** el set y el "**uno**" es fuerte (puede afirmarse al mismo). Además "A" tiene el control del set, quiere jugar el "cinco" (lo mandó por segunda vez en "A2") y la (0;5) no ha sido jugada. Se **propone** jugar la (**1;0**), cuadrar al "cero" y buscar la (**0;5**).

Juego #2

Turno	A	B	C	D
1	(6;6)	(6;3)	(3;4)Manda	Tapa(4;1)
2	(6;5)Manda	(5;5)	(5;4)Repite	Tapa(4;0)
3	(0;5)Repite	(1;0)	(0;3)	(3;3)

Juego (A): (3;**5**),(4;4),(0;2),(3;2).

La (3;5) es la ficha mixta que **cuadra** el set. Además "C" ha estado jugando el "cuatro" (lo marcó en "C1" y repitió en "C2") y tanto la (2;4) como la (6;4) no han sido jugadas.

Por otra parte, "B" no debe tener la (5;1) debido a que no la jugó en "B3" y la (5;2) tampoco ha sido jugada. Se **propone** jugar la (**3;5**), cuadrar al "**cinco**" (el número de "A2") con el objetivo de que "B" juegue la (5;2) y buscar la (**2;4**).

Juego #3

Turno	A	B	C	D
1	(6;6)	(6;2)	(6;4)Manda	Tapa(4;2)
2	(2;1)	(2;2)	(1;4)Repite	Tapa(4;0)

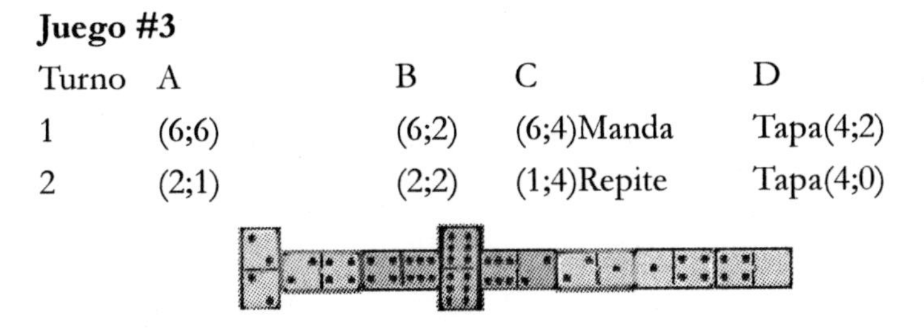

Juego (A): (**0;2**),(3;**2**),(4;4),(4;**0**),(6;**0**).

La (0;2) es la ficha mixta que **cuadra** el set (puede afirmarse). Además "C" ha estado jugando el "cuatro" (lo marcó en "C1" y repitió en "C2") y la (5;4) no ha sido jugada.

Por otra parte, la (2;5) tampoco ha sido jugada y "B" la puede tener (marcó el "**dos**" en "B1"). Se **propone** jugar la (**0;2**), cuadrar al "**dos**" con el objetivo de que "B" juegue la (2;5) y buscar la (**5;4**).

Opción 3. Buscar la Entrada del número de su compañero si permite que el Oponente que le precede o juega después pueda jugar una ficha doble alta. A continuación se presentan 2 ejemplos.

Juego #1

Turno	A	B	C	D
1	(5;5)	(5;1)	(1;1)	(5;3)
2	(1;4)	(4;4)	(3;2)Manda	Tapa(2;1)
3	(4;2)Manda	(1;6)	(6;4)	Tapa(2;6)

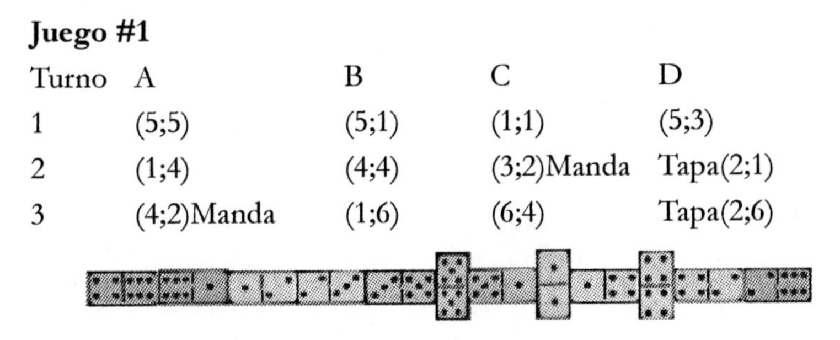

Juego (A): (4;5),(2;2),(0;0),(6;3).

Las opciones de jugada son las (4;5) y (6;3) (mala). Además “C” quiere jugar el “dos” (lo marcó en “C2” y “A” lo mandó por segunda vez en “A3”), la (5;2) no ha sido jugada y “B” puede tener la (6;6). Se **propone** jugar la (**4;5**), repetir el “cinco” y buscar la (**5;2**) si “B” juega la (6;6).

Juego #2

Turno	A	B	C	D
1	(1;1)	pasa	(1;6)	(1;3)
2	(6;3)Cuadra	(3;4)	(4;1)	(3;3)
3	(1;5)Manda	Tapa(5;2)	pasa	(2;6)
4	(3;5)	(6;0)		

Juego (C): (0;0),(0;1),(5;**4**),(**6;4**),(**6;6**).

Las opciones de jugada son las (0;0), (0;1) (mala) y (5;4) (mala). Además “A” ha estado jugando el “tres” (cuadró en “A2”), la (0;3) no ha sido jugada y “D” debe tener la (5;5). Se **propone** jugar la (**0;0**) y buscar la (**0;3**) si “D” juega la (5;5).

Opción 4. Buscar las 2 Entradas del número de su compañero si uno de los números que produce la misma está abierto. Seguidamente se presentan 2 ejemplos.

Juego #1

Turno	A	B	C	D
1	(4;4)	(4;1)	(1;1)	(4;3)
2	(3;3)	(1;2)	(2;4)Manda	(3;2)
3	(2;5)Manda	(5;5)	Tapa(5;1)	(1;6)
4	(6;5)Repite	Tapa(4;6)		

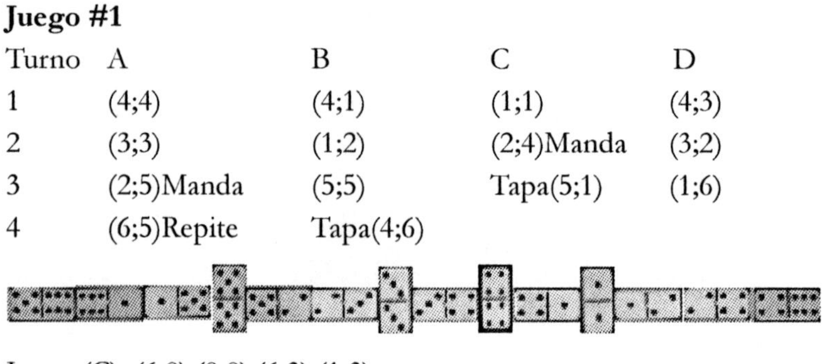

Juego (C): (6;0),(0;0),(6;3),(1;3).

Las opciones de jugada son las (6;0) y (6;3) (mala). Además "A" quiere jugar el "cuatro" (lo marcó en "A1" y "C" lo mandó por segunda vez en "C2"), tanto la (0;4) como la (5;4) no han sido jugadas y el "cinco" (el número de "A3" el cual fue repetido en "A4") está **abierto**. Se **propone** jugar la (**6;0**), mandar el "cero" y buscar tanto la (**0;4**) como la (**5;4**).

Juego #2

Turno	A	B	C	D
1	(1;1)	(1;6)Manda	Tapa(6;3)	(1;3)Cuadra
2	(3;2)	(2;6)Repite	(3;3)	(3;4)
3	(6;4)	(4;0)	(4;4)	

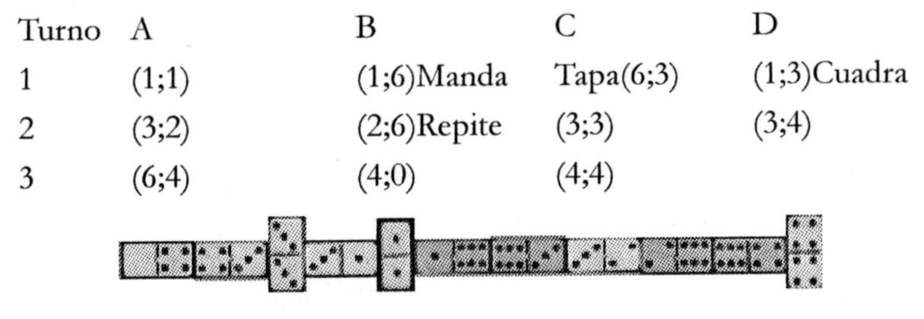

Juego (D): (**3;5**),(**4;5**),(**4;2**),(0;1),(0;5).

Las opciones de jugada son las (4;5), (0;2) (mala), (0;1) (mala) y (0;5) (mala). Además "B" ha estado jugando el "seis" (lo marcó en "B1" y repitió en "B2"), tanto la (0;6) como la (5;6) no han sido jugadas y el "cero" (el número de "B3") está **abierto**. Se **propone** jugar la (**4;5**), mandar el "**cinco**" y buscar tanto la (**5;6**) como la (**0;6**).

Es importante notar que un jugador también puede buscar las 2 Entradas si juega una ficha doble y los 2 números (que la producen) están abiertos.

Opción 5. Buscar la Entrada de un determinado número si rompe el Firme del Oponente que le precede o juega después de forma que "fuerza" el set. Además el jugador puede estar afirmado al momento de ejecutar la opción. Seguidamente se presentan 2 ejemplos.

Juego #1

Turno	A	B	C	D
1	(3;3)	(3;2)	(3;4)Manda	(4;4)
2	Tapa(4;5)	(5;0)	(0;4)Repite	(2;2)
3	(2;5)	(4;2)	pasa	(5;5)
4	(5;3)	(3;0)	(0;0)	(0;6)
5	(6;4)Afirma			

Juego (B): (2;*0*),(2;6),(1;1).

Las opciones de jugada son las (2;0) y (2;6) (mala). Además puede afirmar a "D" ó "A" al "cero" mediante la (2;0), "C" está afirmado al "cuatro" mediante la (4;1), la (1;2) no ha sido jugada y "D" la debe tener. Se **propone** jugar la (**2;0**), repetir el "*cero*" y buscar la (**1;2**) cuando "C" rompe el Firme.

Juego #2

Turno	A	B	C	D
1	(2;2)	(2;3)	(3;6)Manda	(2;1)
2	(1;1)	Tapa(6;1)	(1;4)	(4;4)
3	(4;2)	(1;3)	(2;6)Repite	(6;6)
4	(3;4)	Tapa(6;4)	(4;5)	(5;5)

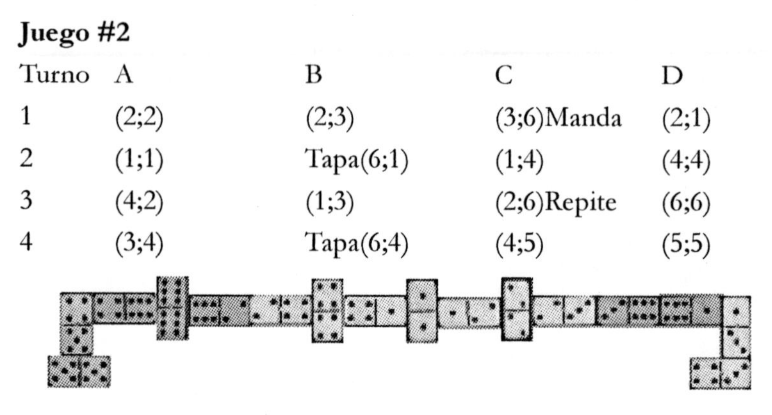

Juego (A): (5;2),(5;0),(3;0).

Las opciones de jugada son las (5;2) y (5;0) (mala); y un jugador está afirmado al "cuatro" mediante la (4;0). Además puede afirmar a "B" al "**dos**" mediante la (5;2) (lo marcó en "A1" y "C" jugó forzado en "C3").

Por otra parte, "C" ha estado jugando el "seis" (lo marcó en "C1" y repitió en "C3"), la (0;6) no ha sido jugada y "B" romperá con la (2;0). Se **propone** jugar la (**5;2**), repetir el "**dos**" y buscar la (**0;6**) cuando "B" rompe el Firme.

A continuación se presentan 3 ejemplos en los cuales evita la Entrada de un número que quiere ser jugado por la Oposición[17].

Juego #1

Turno	A	B	C	D
1	(2;2)	(2;5)	(5;5)	(2;4)
2	(4;4)	(4;6)	(6;6)	(5;1)Manda
3	(6;2)Repite			

Juego (B): (3;*6*),(**1**;*6*),(**1;1**),(**1**;3),(**1**;0).

El "**uno**" (el número de "D2") es fuerte (en cantidad de 4) e incluye a la (**1;1**) (mala). Además "A" ha estado jugando el "dos" (lo marcó en "A1" y repitió en "A3"). Por otra parte, las (1;2), (3;2) y (0;2) no han sido jugadas. Se **propone** jugar la (**1;6**), repetir el "*seis*" y **evitar** la Entrada del "dos".

Juego #2

Turno	A	B	C	D
1	(5;5)	(5;0)	(0;0)	(0;3)
2	(3;5)Cuadra	(5;4)	(4;4)	(4;1)
3	Tapa(5;2)			

Juego (B): (1;6),(1;**0**),(2;**0**),(4;3),(2;3).

17 Esta es una jugada fundamental y habrá casos en los cuales el jugador deberá **evitar** la Entrada de más de un número.

"B" puede jugar casi todas sus fichas con excepción de la (4;3). Además "A" ha estado jugando el "cinco" (lo marcó en "A1" y cuadró en "A2") y "D" debe estar fallo (no le pegó en "D1").

Por otra parte, tanto la (6;5) como la (1;5) no han sido jugadas y "C" debe tener la (1;5) ("A" no la jugó en "A3" y le pegó al "cinco"). Se **propone** jugar la (**1;0**), repetir el "**cero**" y **evitar** la Entrada segura del "cinco".

Es preferible evitar jugar una ficha doble alta si el jugador puede impedir el Afirmamiento de un Oponente el cual le lleva la Mano (si el Oponente que puede afirmarse no le lleva la Mano, podrá jugar dicha ficha y botar puntos). Sin embargo, esta jugada quedará al criterio del jugador.

Juego #3

Turno	A	B	C	D
1	(4;4)	(4;2)	(2;3)	(4;3)
2	(3;5)Manda	(5;5)	(3;1)	pasa
3	(1;5)Cuadra	(5;0)	(0;1)	pasa
4	(1;2)	(2;2)	Tapa(5;6)	

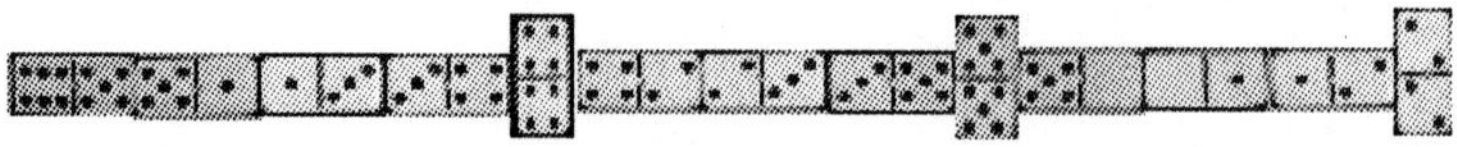

Juego (D):**(6;6)**,(2;**6**),**(3;6)**,**(3;0)**,**(0;0)**,(4;**0**).

La (2;6) es la ficha mixta que **cuadra** el set. Además "A" ha estado jugando el "cinco" (lo marcó en "A2" y cuadró en "A3") y tanto la (2;5) como la (4;5) no han sido jugadas. Se **propone** jugar la (**2;6**), cuadrar al "**seis**" y **evitar** la Entrada del "cinco".

Capítulo 7: Jugadas Finales

En este Capítulo se presentan una serie de opciones finales y las mismas son clasificadas de la siguiente manera:

•Opciones para buscar Cierres.

•Opciones de como asegurar (o evitar perder) un set (se incluye la Jugada del Ahorque).

Además es importante aclarar que las jugadas, en este Capítulo, se presentan de la siguiente manera[1]:

•Una Matriz en la cual aparece tanto el turno (1, 2, 3, etc.) como el jugador ("A", "B", "C" y "D"). Además, en el espacio correspondiente se presenta la respectiva ficha jugada por cada jugador.

•El juego (las fichas no jugadas) del jugador involucrado.

•Las opciones de jugada serán subrayadas.

•Los detalles relevantes encontrados en el juego que influyen en la jugada.

•Se propone la ficha que se debe jugar (nuestra opinión).

---

1 En algunas casos no se presentarán ejemplos (sólo se describirá la jugada).

Finalmente es importante destacar que tanto la práctica que se tiene del juego como la retentiva y concentración del jugador también influirán en cada jugada.

Opciones para buscar Cierres. El "Cierre" se produce cuando se cuadra el set con un Firme al número del firme debido a que el aludido Firme es la sexta ficha mixta por jugar del mencionado número. Además el Cierre es una jugada oportuna en la cual la pareja puede acumular una gran cantidad de puntos y, por ende, un jugador debe tratar de aprovecharla. Un jugador debe cerrar el set, o tratar de producir (o buscar) una Jugada de Cierre si:

- Considera que el Cierre puede ser ganado.
- Estima que el Cierre es estrecho (es un "**palo loco**" o "**barrejobo**") debido a que[2]:
    - La pareja va muy por debajo en la puntuación de la partida.
    - La pareja puede perder la partida, en el caso de no cerrar, debido a que un Oponente es la Mano.

Es importante notar que si a un jugador le llega un Cierre, el resultado aproximado del mismo puede ser determinado de acuerdo a las fichas no jugadas.

Juego

Turno	A	B	C	D
1	(5;5)	(5;2)	(2;1)	(5;0)
2	(1;5)Repite	(0;6)	(6;4)	Tapa(5;6)
3	(4;5)Afirma	(6;6)	(6;3)	

2 Estas expresiones surgen de mis amigos Harry (Gato) Díaz G., Ramón Cardoze, Alfredo De La Guardia B. Y Ricardo (Oso) Icaza.

Juego (D): (3;5),(**0**;**0**),(**0**;1),(**0**;2),(1;4).

La (3;5) es un Firme que puede cerrar el set y las últimas jugadas de "A" y "C" fueron forzadas. Además las fichas no jugadas por los otros jugadores son: las (6;2), (6;1), (4;4), (4;3), (4;2), (4;0), (3;3), (3;2), (3;1), (3;0), (2;2) y (1;1). Por otra parte, "B" no jugó forzado en "B2".

Las fichas no jugadas por "D", las (0;0), (0;1), (0;2) y (1;4), suman **8** puntos. Además las 4 fichas más altas por jugar, las (6;2), (6;1), (4;4) y (4;3), suman **30** puntos. Por lo tanto, si "B" tiene las referidas fichas el total máximo de puntos que podrá tener la pareja es igual a **38**. Por otra parte, el resto de las fichas no jugadas suman **34** puntos.

"B" debe tener las (6;2) y (6;1) debido a que "A" y "C" jugaron forzado en "A3" y "C3"; y, al menos, otro "cero" debido a que no jugó forzado en "B2". Por lo tanto, puede tener la (0;4) (la ficha más alta no jugada del "cero") y la (4;4); de forma que el total máximo de puntos de la pareja bajará a **35** (las otras fichas no jugadas sumarán, ahora, **37** puntos). Se **propone** jugar la (**3;5**) y cerrar el set.

Es importante señalar los siguientes puntos:

•Si "B" hubiese jugado forzado en "B2" o pudiese tener la (4;3), entonces debe abrir el set debido a que el resultado es incierto. Además "B" quedará **doblemente** afirmado con las (6;2) y (6;1).

•En los siguientes ejemplos sólo se mencionarán las fichas no jugadas más importantes.

Por otra parte, si un jugador estima que el Cierre está muy estrecho (o puede ser perdido), debe (recordar el refrán de Juan Seguro):

•Evitar romper su Firme si tiene una buena opción de jugada por el otro número abierto.

•Abrir el set (el mismo quedará cuadrado al otro número abierto) si tiene una opción de jugada muy arriesgada o no tiene ninguna otra.

•Evitar un Cierre en el caso de poder producirlo (puede, inclusive, romper un Firme).

A continuación se presentan 4 opciones[3].

Opción 1. El jugador que busca el Cierre está afirmado. A continuación se presentan 3 casos (A, B y C).

Caso A. Se afirma a otro jugador y el número a quedar abierto del nuevo Firme coincide con el otro número de su Firme. Además el jugador que queda afirmado debe ser, en la mayoría de los casos, el Oponente que le antecede o juega antes. Seguidamente se presentan 3 ejemplos.

Juego #1

Turno	A	B	C	D
1	(4;3)	(4;4)	(3;3)	(3;0)Manda
2	(0;4)	(4;2)	(2;6)	(4;6)Cuadra
3	(6;3)	(3;2)	(6;6)	(2;0)Repite
4	(0;5)	(5;6)Afirma	pasó	

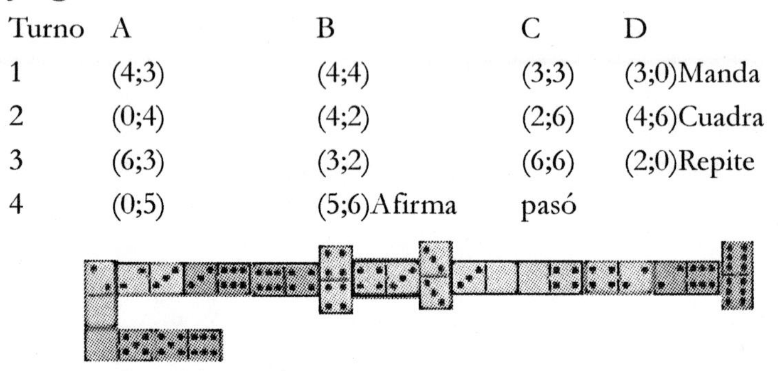

Juego (D): (<u>*6*;**0**</u>),(**0;0**),(<u>*6*;1</u>),(5;1).

Tanto la (6;1) como la (6;0) son (2) Firmes y la (0;1) será otro Firme si juega la (6;0). Además "B" no tiene la (5;5) (no la jugó en "B4"), "A" marcó el "cuatro" en "A1" y "D" tiene la (0;0). Se

3 Algunas jugadas son omitidas debido a que las mismas son muy remotas.

propone jugar la (**6;0**), repetir el "**cero**" y buscar el Cierre si "C" queda afirmado con la (0;1) mediante la (**1;6**).

Juego #2

Turno	A	B	C	D
1	(0;0)	(0;4)	(4;4)	(0;3)
2	(3;4)Cuadra	(4;6)	(6;0)	(4;2)
3	(2;5)	(5;5)	(0;2)	(5;6)
4	(6;6)	(2;2)	(6;2)Afirma	(2;3)
5	pasa			

Juego (B): (3;6),(2;1),(0;1).

La (2;1) es un Firme y la (6;1) será otra Llave si juega la (3;6). Además sólo quedará con la (0;1). Se **propone** jugar la (**3;6**), repetir el "seis" y buscar el Cierre si "D" queda afirmado con la (6;1) mediante la (**3;6**)[4].

Juego #3

Turno	A	B	C	D
1	(6;6)	(6;0)	(0;4)	(4;4)
2	(6;2)Manda	(2;4)Tapa	(4;5)	(5;5)
3	(5;6)Repite	(4;3)		

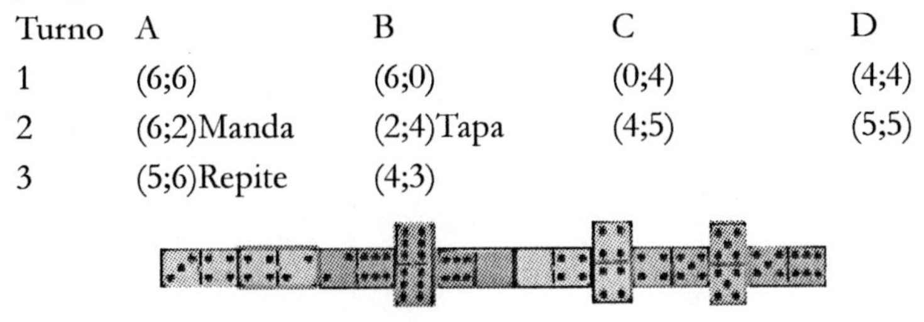

Juego (C): (3;6),(**1**;6),(**1;1**),(**1**;2),(3;2).

Las opciones de jugada que tiene por el "tres" son las (3;2) (mala) y (3;6) (la ficha mixta que **cuadra** el set); y puede afirmarse mediante la (6,1). Además "D" debe tener la (6;4) ("A" no la jugó en "A2") y al jugarla podrá afirmar a "B" mediante la (4;1).

4 "A" deberá jugar la (1;1) o pasar.

Por otra parte, "A" marcó el "dos" en "A2" y quedó fallo al "cinco" (jugó forzado en "A3"); y "C" también está fallo al "cinco". Se **propone** jugar la (**3;6**), cuadrar al "seis" y buscar el Cierre si "B" queda afirmado con la (4;1) mediante la (**1;6**).

Caso B. El jugador repite un número fuerte y posee todas las fichas mixtas no jugadas del mismo de forma que una de las mencionadas fichas debe ser, obviamente, su Firme.

Juego

Turno	A	B	C	D
1	(4;4)	(4;5)	(5;6)	(6;1)
2	(1;4)Cuadra	(4;3)	(3;3)	(3;0)
3	(0;4)Afirma	pasa	(4;2)	(2;2)

Juego (A): (2;6),(**4;6**),(0;**6**),(3;**6**).

La (4;6) es una Llave y su otra opción de jugada es la (2;6). Además "C" no tiene la (5;5) (no la jugó en "C1"), el "**seis**" es un número fuerte (en cantidad de 4) y tiene todas las fichas mixtas no jugadas del mismo. Se **propone** jugar la (**2;6**), mandar el "**seis**" y cerrar el set mediante la (**6;4**)[5].

Caso C. El jugador ocasiona, al afirmarse por el otro extremo, que la única ficha mixta que pueda jugarse sea su Firme. Además esta jugada produce un Cierre por ambos extremos.

---

5 Si abre el set y cuadra al "**seis**", asegura el set debido a que quedará con los 2 Firmes (juega solo).

Juego

Turno	A	B	C	D
1	(6;6)	pasa	(6;5)	(6;0)Manda
2	Tapa(0;4)	(4;5)	(5;3)	(3;0)Repite
3	Tapa(0;1)	(1;1)	(1;4)	(4;6)
4	(6;3)	(3;1)	(5;2)	(2;0)Afirma
5	pasa			

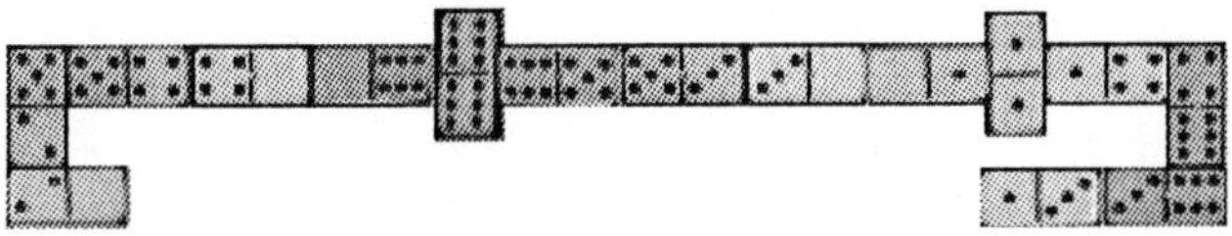

Juego (B): (**1;5**),(**5;5**),(0;5),(**1**;2).

La (0;5) es un Firme y sus otras opciones de jugada son las (1;5) y (1;2) (mala). Además, si juega la (1;5) se afirmará doblemente al "**cinco**" mediante las (5;5) y (5;0).

Por otra parte, sólo quedará con la (1;2) y "D" no tiene la (4;4) (no la jugó en "D3") ni la (3;3) (no la jugó en "D2"). Se **propone** jugar la (**1;5**) y cerrar el set mediante la (**0;5**).

Opción 2. El compañero del jugador que busca el Cierre está afirmado. Seguidamente se presentan 3 casos (A, B y C).

Caso A. Se fuerza a que el Oponente que le precede juegue una ficha cuyo número a quedar abierto coincida con el otro número del Firme. Seguidamente se presentan 2 jugadas.

Jugada 1. Se juega la ficha doble de un determinado número de forma que una de sus fichas mixtas no jugadas es la que produce el Cierre. Además el jugador que busca el Cierre no debe tener, obviamente, la referida ficha mixta.

Juego

Turno	A	B	C	D
1	(5;5)	(5;0)Manda	(5;4)	(4;0)Cuadra
2	(0;0)	(0;3)	(3;3)	(3;6)
3	(0;1)	(6;0)Afirma	pasa	

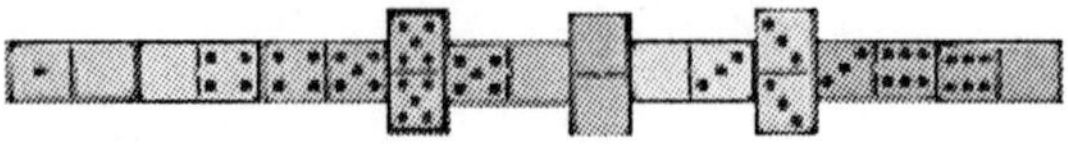

Juego (D): (1;1),(1;**5**),(2;**5**),(6;**5**),(4:3).

Las opciones de jugada son las (1;1) y (1;5) (mala). Además "B" está afirmado al "cero" mediante la (0;2) (lo marcó en "B1", "D" cuadró en "D1" y "B" lo repitió en "B3").

Por otra parte, el "**cinco**" es un número fuerte que incluye a la (5;2) y "B" no tiene la (6;6) (no la jugó en "B3"). Se **propone** jugar la (**1;1**) y buscar el Cierre si "A" juega la (1;2) mediante la (**2;0**).

Jugada 2. El jugador manda o repite un número el cual incluye la respectiva ficha doble (si no la incluye, la misma debió ser jugada) y una de las fichas mixtas no jugadas es la que produce el Cierre. Además el jugador que busca el Cierre no debe tener, obviamente, la aludida ficha mixta. Seguidamente se presentan 2 ejemplos.

Juego #1

Turno	A	B	C	D
1	(3;3)	(3;2)	(3;0)Manda	(2;1)
2	(1;0)Cuadra	(0;5)	(5;2)	pasa
3	(2;0)Afirma	pasa		

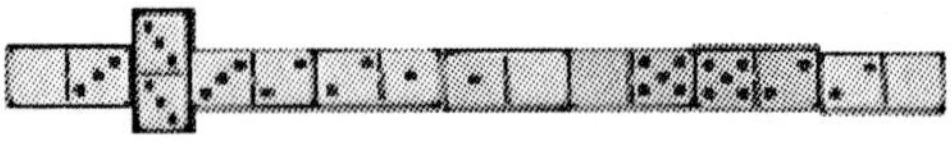

Juego (C): (**0;0**),(**0;4**),(**4;4**),(1;**4**),(6;6).

Tiene un Doble Firme del "**cero**": las (0;0) (mala) y (0;4); y "A" está afirmado mediante la (0;6) (cuadró en "A2" y "A3"). Además el "**cuatro**" es un número fuerte que incluye a la (4;4) pero no a la (4;6).

Por otra parte, ambos Oponentes han pasado y es muy improbable que "A" tenga la (5;5) debido a que salió con la (3;3). Se **propone** jugar la (**0;4**), mandar el "**cuatro**" y buscar el Cierre si "D" juega la (4;6) mediante la (**6;0**).

Juego #2

Turno	A	B	C	D
1	(4;4)	(4;0)	(0;5)	(4;1)
2	(1;6)	(5;1)	(6;6)	(6;0)Manda
3	(0;1)Afirma	pasa	(1;1)	(1;2)
4	(2;2)			

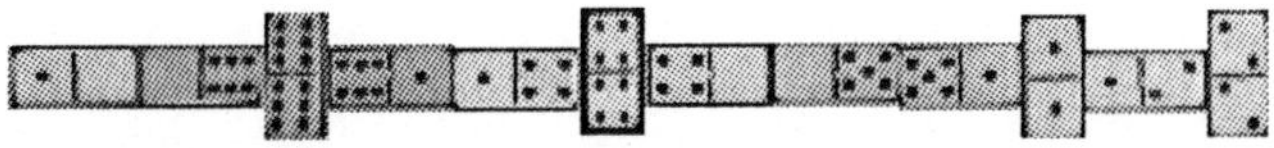

Juego (B): (2;4),(2;5),(2;0),(**0;0**),(3;6).

Las opciones de jugada son las (2;4) (mala), (2;5) (mala) y (2;0). Además "C" está afirmado al "uno" mediante la (1;3) debido a que "D" jugó forzado en "D3".

Por otra parte, si juega la (2;0), la (0;3) será un Firme y "D" la debe tener. "D" no tiene la (5;5) (no la jugó en "D1") y "A" debe estar fallo al "dos". Se **propone** jugar la (**4;0**), repetir el "**cero**" y buscar el Cierre si "C" rompe con la (1;3) mediante la (**3;0**).

Caso B. Se juega una ficha doble cuyo número coincide con el otro número del Firme de forma que el Cierre se producirá si el Oponente que le precede o juega después pasa.

Juego

Turno	A	B	C	D
1	(2;3)	(3;4)	(4;2)Cuadra	pasa
2	(2;0)	(0;4)	(4;5)	(5;1)
3	(1;2)Afirma	(2;2)	pasa	pasa
4	(2;6)	(6;5)		

Juego (C): (**5;5**),(**5;0**),(**5;3**),(**3;3**),(0;3).

Las opciones de jugada son las (5;5), (5;0) (mala) y (5;3) (mala); y el "**cinco**" (el número de "B4") es fuerte. Además "A" está afirmado al "dos" mediante la (2;5) (lo marcó en "A1", "C" cuadró en "C1" y "A" volvió a cuadrar en "A3").

"C" está fallo al "seis", "D" ha pasado 2 veces y es muy improbable que "A" tenga las (4;4) y (6;6) debido a que salió con la (3;2) (una ficha mixta). Se **propone** jugar la (**5;5**) y buscar el Cierre mediante la (**5;2**) si "D" pasa.

Caso C. El jugador manda (o repite) un número el cual coincide con el otro número del Firme. El Cierre se producirá si el Oponente que le precede pasa o juega la respectiva ficha doble.

Juego

Turno	A	B	C	D
1	(5;4)	(4;4)	(4;6)	(5;5)
2	(5;0)	(0;0)	(6;6)	(6;3)Manda
3	(0;4)	(4;3)Cuadra	(3;3)	(3;5)
4	(5;1)	(1;3)Afirma	(3;2)	

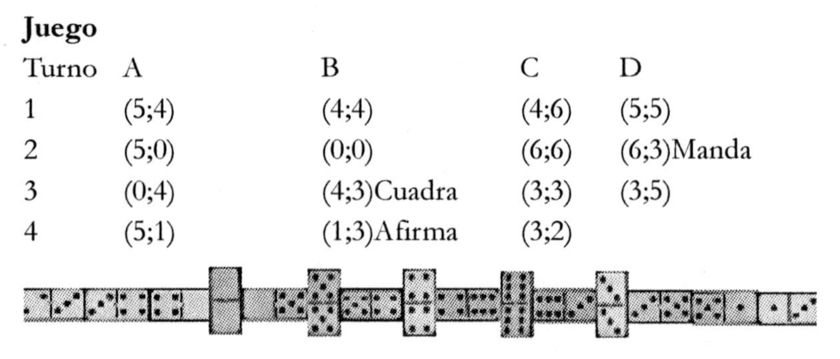

Juego (D): (2;0),(2;4),(1;6),(**5**;6).

Las opciones de jugada son las (2;0) y (2;4) (mala). Además "B" está afirmado al "tres" mediante la (0;3) (cuadró en "B3" y "B4"). Se **propone** jugar la (**2;0**), mandar el "cero" y buscar el Cierre mediante la (**0;3**) si "A" pasa.

Opción 3. Un jugador afirma a otro jugador, el cual ya posee un Firme, por el otro extremo. Además esta jugada también produce un Cierre por ambos extremos de la cadena.

Juego

Turno	A	B	C	D
1	(3;2)	(2;2)	(3;3)	(3;6)
2	(2;1)	(1;6)Cuadra	(6;6)	(6;2)
3	(2;4)	(4;4)	(6;5)Manda	(5;4)
4	(4;3)	Tapa(4;0)	(0;3)	pasa
5	(3;1)	(1;4)Afirma	(3;5)Repite	(5;1)
6	(1;0)			

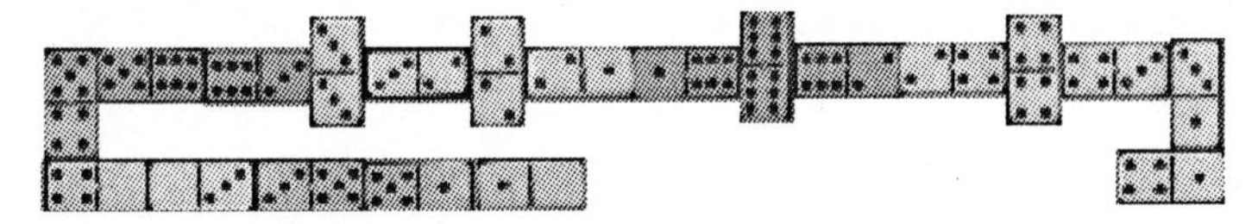

Juego (B): (0;6),(0;2).

Las opciones de jugada son las (0;2) (mala) y (0;6). Además "D" debe estar afirmado al "cuatro" (cuadró en "D3") mediante la (4;6) y lo puede afirmar al "seis" si juega la (0;6). Por otra parte, "B" está fallo al "cinco" y "D" no debe tener la (5;5) (le pegó en "D3" y "D5"). Se **propone** jugar la (**0;6**) y cerrar el set mediante la (**6;4**).

Opciones de como Asegurar (o evitar perder) un set. Es importante notar los siguientes puntos:

•Un jugador tiene el set **ganado** si:

•Tiene el control del mismo, el Firme (o un Doble Firme) y una opción de jugada por el otro número abierto. El mencionado jugador debe asegurarlo al jugar la otra ficha a pesar de que la Oposición pueda botar una gran cantidad de puntos como resultado.

•Sus fichas por jugar son Firmes (o Dobles Firmes) y puede jugar solo (el jugador se afirmará cuando rompa sus Firmes).

•El jugador debe hacer un ejercicio mental y estimar las fichas más probables que pueden ser jugadas por cada jugador (las fichas **identificadas**, obviamente, serán de gran ayuda).

Seguidamente se presentan 5 opciones.

Opción 1. Afirmar a su compañero si tiene el control relativo de la pareja.

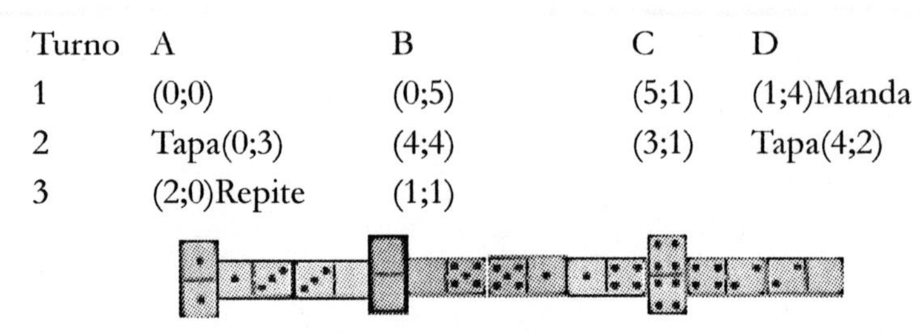

Turno	A	B	C	D
1	(0;0)	(0;5)	(5;1)	(1;4)Manda
2	Tapa(0;3)	(4;4)	(3;1)	Tapa(4;2)
3	(2;0)Repite	(1;1)		

Juego (C): (**1**;0),(**1**;6),(**1**;2),(2;2),(4;5).

La (1;0) es la ficha mixta que **cuadra** el set y "A" ha estado jugando el "cero" (lo marcó en "A1" y repitió en "A3"). Además "C" tiene una Manopla del "**uno**" y la (2;2) no ha sido jugada.

Por otra parte, es muy probable que "A" rompa si queda afirmado debido a que "D" debe tener la (0;4) y "A" le pegó al "cero" en "A2". Se **propone** jugar la (**1;0**) y cuadrar al "cero".

Opción 2. Evitar romper un Firme.

Opción 3. Evitar afirmarse a un número si:

•Su compañero tiene el control relativo de la pareja y el mismo puede pasar como resultado. Además un Oponente será la Mano y sólo debe afirmarse si tiene una gran oportunidad de ganar el set.

•La ficha doble del número del posible Firme es poseída por un Oponente el cual le lleva la Mano.

Opción 4. Evitar jugar una ficha doble (preferiblemente baja) si puede afirmarse (o afirmar a su compañero) con el objetivo de buscar un Cierre.

Opción 5. Un jugador está afirmado, tiene el control relativo de su pareja y la pareja tiene la opción de jugar a acumular puntos. Seguidamente se presentan 2 opciones y las mismas quedarán a su criterio:

•Mandar un número (fuerte o en cantidad de 2) en vez de un número no acompañado.

•Mandar (o repetir) un número no acompañado si es bajo (arriesgada) y evitar que la Oposición bote puntos debido a que puede mandar un número alto (fuerte o en cantidad de 2) y su respectiva ficha doble no ha sido jugada (segura)[6].

---

6 El jugador, obviamente, no debe tener la mencionada ficha doble.

Finalmente es importante señalar los siguientes puntos:

•Si tiene varias opciones para afirmarse (en la mayoría de los casos será mediante una Jugada de Cuadre), el jugador debe:

- •Tratar de evitar que la Oposición bote puntos.
- •Afirmar a su pareja (se incluye a su compañero) al mayor número.
- •Afirmarse correlativamente (vuelve a afirmarse al romper un Firme).

•Tapar el número de su compañero, el cual debe ser Mano, si al hacerlo le busca la Entrada al mencionado número.

Juego

Turno	A	B	C	D
1	(4;2)	(2;1)	(1;0)	(0;2)Manda
2	Tapa(2;3)	(3;6)	(6;1)	(1;1)
3	(1;4)Cuadra	pasa	(4;4)	pasa
4	(4;3)	(3;3)	(3;1)	(1;5)
5	(5;6)	(6;0)		

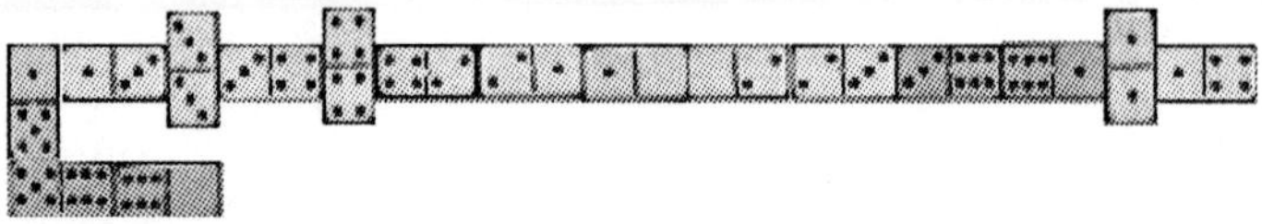

Juego (C): (4;5),(**0;5**),(**0;0**).

Puede jugar todas sus fichas y "A" tiene 2 fichas por jugar las cuales deben ser las (4;0) y (4;6) debido a que ha estado jugando el "cuatro" (lo marcó en "A1" y cuadró en "A3"). Por otra parte, "D" quiere jugar el "dos" (lo mandó en "D1") y debe tener las (2,2), (2;5) y (2;6).

Se **propone** jugar la (**4;5**), mandar el "cinco" (segura) y buscar la Entrada del "cuatro" mediante la (**0;4**) si "D" se afirma al "dos" con la (5;2) ("A" ganará el set).

•Si un jugador tiene el control del set, debe evitar afirmar al Oponente con mayor oportunidad de ganarlo debido a que puede pasar (y perder el set) como resultado.

•Tratar de romper el Firme de un Oponente (generalmente será el que le precede o juega después) si fuerza el set y da un Firme (es preferible, obviamente, que su pareja quede afirmada).

•Si un jugador tiene el set asegurado, sólo debe cerrar si de esta manera puede llegar a la cantidad de puntos acordada.

•Si su compañero tiene el control del set y una ficha por jugar, puede (en la mayoría de los casos) asegurar el set si:

•Rompe su Firme (inclusive puede autoahorcarse).

•Evita afirmarse.

Capítulo 8: Simulación de una Partida

En este Capítulo se presenta la simulación de una partida completa de Dominó (hasta 75 puntos) así como la explicación de las jugadas. No obstante, se incluye la puntuación en caso de que la partida se juegue hasta 200 puntos.

Set #1

A: (6;6),(6;2),(6;1),(1;1),(2;1),(5;3),(0;3) P1
B: (2;2),(4;2),(4;6),(4;3),(3;3),(2;3),(1;3) P2
C: (0;2),(0;4),(4;4),(1;4),(1;5),(6;5),(6;3) P1
D: (0;1),(0;6),(0;0),(0;5),(2;5),(5;5),(4;5) P2

*Jugada Forzada **Jugada de Cierre
***Rompe un firme

Turno	A	B	C	D
1	(6;6)	(6;4)*	(4;4)[1]	(6;0)*
2	(0;3)*	(4;3)[2]	(3;6)*	pasa
3	(3;5)[3]	pasa	(5;6)[4]	pasa
4	(6;2)[5]	(2;3)[6]	pasa	pasa
5	(6;1)***	(3;3)**	(1;4)[7]	(4;5)*
6	pasa	(3;1)***	(5;1)[8]	(1;0)
7	(1;1)[9]	pasa	(0;4)[10]	pasa
8	(1;2)			

1 Prefiero doblarme al "cuatro" en vez de buscar la entrada del "seis".
2 Cuadra al "tres" a pesar de que puede entrar la (3;6).
3 Deja abierto el "seis".
4 Cuadra al "seis" y afirma a "A".
5 "B" entrará con el 3 por lo que debe reventar con el (6;1) ya que el "uno" es fuerte.
6 "B" debe afirmarse al "tres" y evitar jugar la (2;2).
7 El "cuatro" era un número fuerte.
8 Cuadra a "uno" ya que "A" pasó al "cinco".
9 Asegura el Set.
10 Evita la entrada del "cinco".

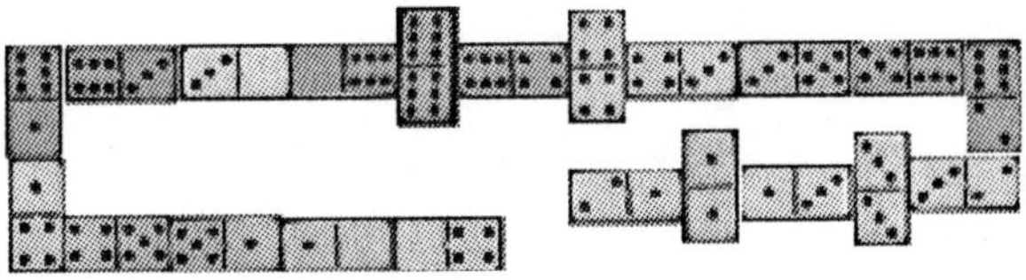

Fichas no jugadas

	A	B	C	D
	Ganó	(4;2),(2;2)	(0;2)	(0;0)
				(0;5)
				(2;5)
				(5;5)
Puntos		10	2	22

Puntuación:

Hasta 75:	P1 (32)	P2 (0)
Hasta 200:	P1 (34)	P2 (0)

Set #2

A: (3;6),(3;0),(0;0),(0;5),(1;5),(4;4),(2;2) P2
B: (2;1),(1;1),(4;1),(4;0),(4;6),(6;6),(5;5) P1
C: (4;2),(6;2),(6;0),(6;5),(3;3),(3;1),(3;1) P2
D: (6;1),(0;1),(0;2),(3;2),(5;2),(5;4),(3;4) P1

*Jugada Forzada   ** Jugada de Cierre
*** Rompe un firme   **** Rompe un firme y ahorca

Turno	A	B	C	D
1	(0;0)	(0;4)*	(4;2)	(0;2)[11]
2	(2;2)*	(2;1)*	(2;6)[12]	(6;1)[13]
3	(1;5)*	(5;5)[14]	(1;3)[15]	(5;4)[16]
4	(4;4)[17]	(4;6)[18]	(6;5)[19]	(3;4)[20]
5	(5;0)*	(4;1)***	(0;6)*	(1;0)****
6	(6;3)[21]	pasa	(3;3)[22]	(3;2)
7	(0;3)			

---

11 Cuadra al "dos".
12 Protege a "A" ya que está fallo al "dos".
13 Cuadra al "uno" ya que evita la entrada del "cero" y "B" lo marcó.
14 Juega el doble más alto.
15 Protege a "A" ya que está fallo al "uno".
16 Juega el "cuatro" de B1 y tapa el "cinco" de A3.
17 Debe doblarse en vez de jugar la (5;0).
18 Debe jugar la (4;6) debido a que tiene fichas muy altas por jugar.
19 Busca la (5;0).
20 Afirma a "B".
21 Tiene 2 firmes y ahorca la (6;6).
22 Evita que "D" juegue su ficha más alta.

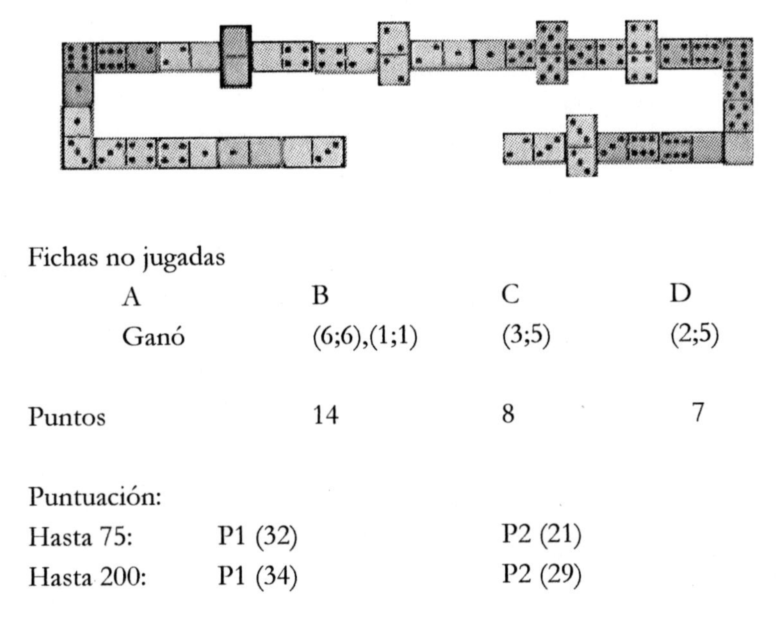

Fichas no jugadas

	A	B	C	D
	Ganó	(6;6),(1;1)	(3;5)	(2;5)
Puntos		14	8	7

Puntuación:

Hasta 75:	P1 (32)	P2 (21)
Hasta 200:	P1 (34)	P2 (29)

Set #3

A: (5;5),(3;1),(0;1),(4;1),(4;3),(4;6),(0;6) P1
B: (6;3),(6;2),(3;2),(2;2),(5;2),(5;4),(5;3) P2
C: (6;1),(1;1),(0;5),(0;4),(4;4),(4;2),(3;3) P1
D: (6;6),(6;5),(1;5),(1;2),(0;2),(0;3),(0;0) P2

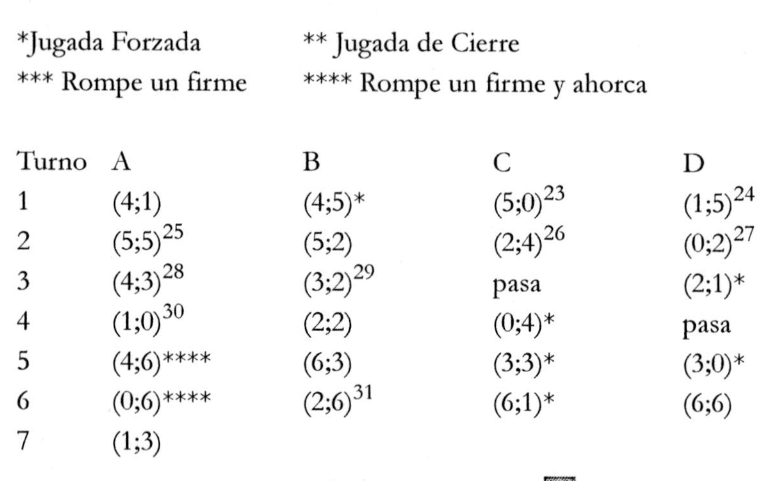

*Jugada Forzada ** Jugada de Cierre
*** Rompe un firme **** Rompe un firme y ahorca

Turno	A	B	C	D
1	(4;1)	(4;5)*	(5;0)[23]	(1;5)[24]
2	(5;5)[25]	(5;2)	(2;4)[26]	(0;2)[27]
3	(4;3)[28]	(3;2)[29]	pasa	(2;1)*
4	(1;0)[30]	(2;2)	(0;4)*	pasa
5	(4;6)****	(6;3)	(3;3)*	(3;0)*
6	(0;6)****	(2;6)[31]	(6;1)*	(6;6)
7	(1;3)			

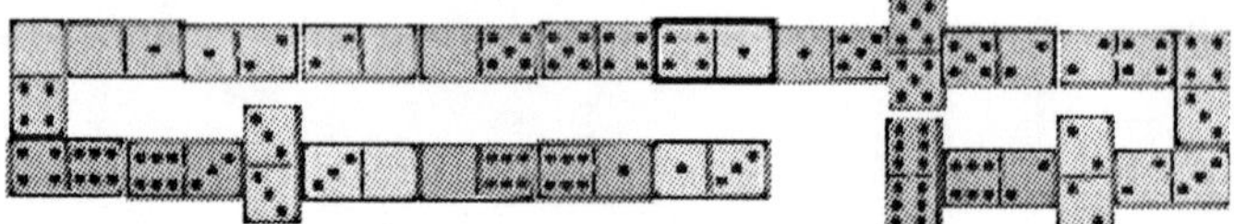

23 Tapa el "cinco" en vez de doblarse.
24 Juega el "cinco" de B1 en vez de doblarse.
25 Debe doblarse en vez de jugar el (0;1).
26 Juega por el "dos" ya que "B" está fallo al "cero".
27 Evita una jugada de cuadre.
28 También puede jugar la (4;6).
29 Cuadra al "dos" y se afirma.
30 Juega el "cero" ya que "B" está fallo (B2).
31 Abre el set.

Fichas no jugadas

	A	B	C	D
	Ganó	(3;5)	(4;4),(1;1)	(6;5), (0;0)
Puntos		8	10	11

Puntuación:

Hasta 75:	P1 (51)	P2 (21)
Hasta 200:	P1 (63)	P2 (29)

Set #4

A: (5;5),(1;1),(1;4),(4;4),(3;2),(3;6),(3;0) P2
B: (5;3),(5;2),(0;2),(2;2),(1;2),(1;6),(4;6) P1
C: (5;4),(3;4),(3;3),(6;6),(6;2),(6;0),(1;0) P2
D: (2;4),(0;4),(0;0),(0;5),(6;5),(1;5),(1;3) P1

*Jugada Forzada ** Jugada de Cierre
*** Rompe un firme **** Rompe un firme y ahorca

Turn	A	B	C	D
1	(4;4)	(4;6)*	(6;6)[32]	(4;0)
2	(0;3)[33]	(3;5)[34]	(5;4)[35]	(6;5)[36]
3	(5;5)	(5;2)*	(2;6)[37]	(4;2)*
4	(2;3)[38]	(6;1)*	(3;4)[39]	(1;5)[40]
5	(4;1)***	(1;2)*	pass	(5;0)***
6	pass	(0;2)[41]	pass	pass
7	pass	(2;2)		

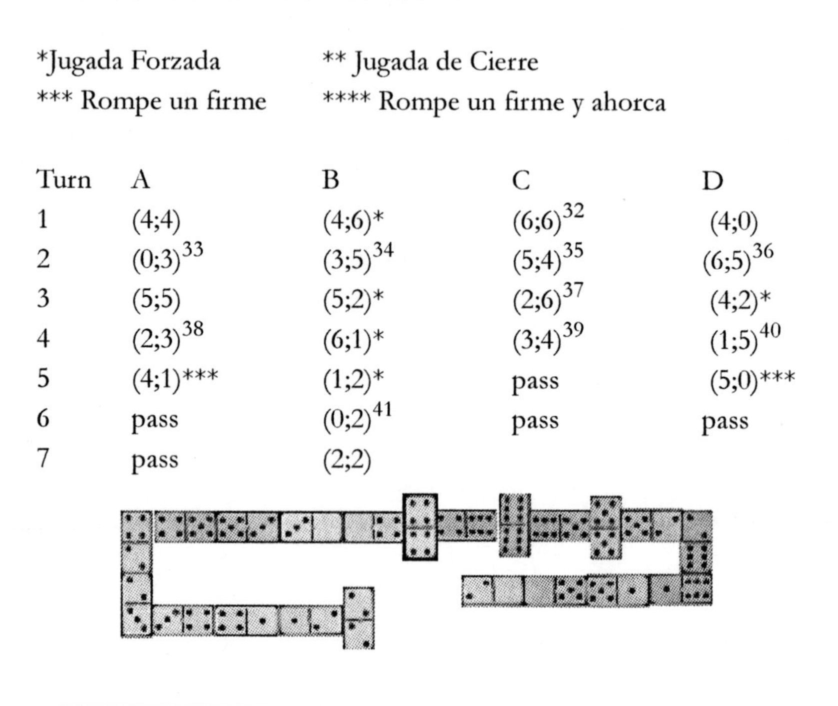

32 Prefiero doblarme en vez de buscar la Entrada del "cuatro".
33 La (6;3) también pude ser jugada.
34 Tapa el "tres" de A2 y empieza a buscar la (5;5).
35 Juega el "cuatro" de A1.
36 Juega el "cinco" de B2 debido a que es fuerte en vez de volver a tapar el "cuatro".
37 Deja abierto el "cuatro" de A1.
38 Tapa el "dos" de B3 y busca la (3;4).
39 Afirma "A".
40 Se afirma al "cinco".
41 Asegura el set.

Fichas no jugadas

	A	B	C	D
	(6;3),(1;1)	Won	(0;1),(3;3), (6;0)	(0;0), (1;3)
Puntos	11		13	4

Puntuación:

Hasta 75:	P1 (75)	P2 (21)
Hasta 200:	P1 (81)	P2 (29)

0473